CONTENTS

CONTENTS

Published by CGP

Editors:
Lucy Forsyth
Lucy Loveluck
Hannah Roscoe
Jennifer Underwood

Contributors:
Sophie Desgland
Jackie Shaw
Sarah Sweeney

With thanks to Rachel Grocott, Sharon Knight and Christine Bodin for the proofreading.
With thanks to Jan Greenway and Ana Pungartnik for the copyright research.

Acknowledgements:

Audio produced by Naomi Laredo of Small Print.

_Recorded, edited and mastered by Graham Williams of The Speech Recording Studio,
with the assistance of Andy Le Vien at RMS Studios._

  Voice Artists:

  Daniéle Bourdais

  Jason Grangier

  Perle Solvés

AQA material is reproduced by permission of AQA.

Abridged and adapted extract on page 61 from 'Le Tour de la France par deux enfants' by G. Bruno.

Abridged and adapted extract on page 61 from 'Le Boule de Suif' by Guy de Maupassant.

Abridged and adapted extract on page 62 from 'Anie' by Hector Malot.

Abridged and adapted extract from 'Voyage au Centre de la Terre' on page 108 and in audio tracks, by Jules Verne.

ISBN: 978 1 78294 538 3
Printed by Elanders Ltd, Newcastle upon Tyne.
Clipart from Corel®

Based on the classic CGP style created by Richard Parsons.

Numbers

 1 Read this chatroom conversation three teenagers had about their families.

Marie	J'habite avec mes grands-parents. Ma grand-mère a soixante-dix ans et mon grand-père a soixante-treize ans. Ils sont très sympathiques.
Claude	J'ai une assez grande famille. D'abord il y a mon frère aîné, qui a vingt ans. Puis il y a moi, et j'ai dix-sept ans. J'ai aussi une petite sœur, qui a quatorze ans, et un petit frère, qui a douze ans.
Ahmed	Je n'ai ni frères ni sœurs. J'habite avec ma mère, qui a quarante-sept ans. Moi, j'ai quinze ans. Nous avons un vieux chat, qui est plus âgé que moi — il a seize ans. Notre petite famille est harmonieuse.

How old are the following people / animals? Write the numbers in digits.

Example: Marie's grandmother ....*70*....

1 a Marie's grandfather .... **1 d** Claude's sister ....

1 b Claude's older brother .... **1 e** Ahmed's mother ....

1 c Claude .... **1 f** Ahmed's cat .... *[6 marks]*

2 Write these numbers out in full in **French**.

2 a 75 ....

2 b 200 ....

2 c 320 .... *[3 marks]*

3 You overhear Paul talking on the phone about his weekend. Answer the questions in **English**.

3 a How many T-shirts did Paul buy? .... *[1 mark]*

3 b Roughly how many DVDs did he buy? .... *[1 mark]*

3 c How much did his shopping cost in total? .... *[1 mark]*

3 d How many friends did Paul see on Saturday evening? .... *[1 mark]*

3 e Roughly how many presents did his best friend receive? .... *[1 mark]*

Score: ▢ /**14**

Times and Dates

1 Write these times out in full in **French**.

1 a   10 am   ....

1 b   1:30 pm   ....

1 c   2.15 pm   ....

1 d   16.44   ....   *[4 marks]*

2 Read the message Jessica sent to her friend on social media during a school trip. Fill in the times on her daily schedule.

Salut Rachelle !

Ça va ? Je suis ici en Suisse avec ma classe, et nous nous amusons très bien ! Nous faisons beaucoup d'activités donc la journée commence assez tôt. Je me lève à sept heures moins le quart. Je prends mon petit déjeuner avec mes copines à sept heures et demie et puis nous partons à huit heures et quart pour faire du ski. Je fais du ski toute la journée et puis je rentre à l'hôtel à dix-huit heures.

Le dîner est à six heures et demie du soir. À dix-neuf heures nous regardons un film ensemble, ou nous jouons aux cartes. Je me couche assez tôt : à neuf heures et demie. Je suis toujours fatiguée !

À bientôt !

	Time	Activity
Example:	06:45	Gets up

	Time	Activity
2 a		Leaves the hotel
2 b		Returns to the hotel
2 c		Has dinner
2 d		Watches a film or plays cards
2 e		Goes to bed

[5 marks]

3 Lisez ce blog que Colette a écrit sur un film.
Répondez aux questions en **français**.

> Aujourd'hui je vais vous parler d'un film magnifique que j'ai vu ce week-end. Le film s'appelle
> « Le lycée de la peur », et comme vous pouvez bien l'imaginer, il s'agit d'un film d'horreur.
>
> D'habitude je ne m'intéresse pas à ce genre de film — je regarde les films d'horreur très
> rarement car je trouve que les acteurs sont souvent mauvais. À mon avis, ce film n'est pas
> comme les autres. Tous les acteurs sont tellement doués, surtout l'actrice principale.
>
> Quant à l'histoire, le film est vraiment dramatique et il y a plein de surprises. On ne s'ennuie
> jamais. Je recommanderais « Le lycée de la peur » à tout le monde qui aime rire, pleurer et
> avant tout avoir peur. À ne pas manquer !

3 a Est-ce que Colette aime les films d'horreur en général ? Pourquoi ?

.... *[2 marks]*

3 b Pourquoi aime-t-elle ce film ? Donnez **deux** raisons.

1. .... *[1 mark]*

2. .... *[1 mark]*

4 Translate the following passage into **French**.

> My favourite sport is rugby because it is very exciting. I have been playing rugby for seven
> years. At the weekend I like to watch sport on television with my friends, but I'm not interested
> in football. I think that the players are arrogant. In the future, I would like to be a teacher.

....

....

....

....

....

....

[12 marks]

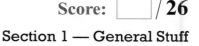

Score: [   ] /**26**

Section 1 — General Stuff

Section 2 — Me, My Family and Friends

About Yourself

1 The new pupils at a secondary school in Marseilles wrote about themselves for the school magazine. Read their descriptions.

Ibrahim	J'ai quinze ans. Je suis né à Toulouse. Je suis de taille moyenne, j'ai les yeux marron et les cheveux longs et foncés. J'ai toujours une attitude positive et je suis souvent de bonne humeur.

Theo	Je viens de Lyon et j'aurai seize ans la semaine prochaine. Je suis l'élève le plus grand de ma nouvelle classe et j'ai les yeux bleus et les cheveux blonds. Mes amis à Lyon disaient que j'étais un peu bête mais je sais comment faire rire les gens.

Which **two** statements are **true**? Write the letters in the boxes.

1 a

A	Ibrahim is very tall.	C	Ibrahim has long, dark hair.
B	Ibrahim is rarely in a bad mood.	D	Ibrahim is fourteen.

[ ] [ ]

[2 marks]

1 b

A	Theo likes to make people laugh.	C	Theo is sixteen.
B	Theo thinks his friends are stupid.	D	Theo is the tallest in his class.

[ ] [ ]

[2 marks]

2 These teenagers had to spell out their surnames when applying for gym membership. Write them in the gaps.

2 a Célia .... *[1 mark]*

2 b Baya .... *[1 mark]*

2 c Enzo .... *[1 mark]*

READING

3   Lisez l'email de Tania qui parle d'elle-même. Répondez aux questions en **français**.

> Je m'appelle Tania, j'ai seize ans et je suis française. J'habite dans une petite ville près de La Rochelle avec ma famille.
> Je suis assez grande, mais je ne suis pas aussi grande que mon frère. Il aime toujours me rappeler qu'il est déjà plus grand que notre père même s'il n'a que quatorze ans. Mes cheveux sont blonds et courts, et j'ai les yeux verts. Je suis sportive et j'aime nager et jouer au football. Je joue au football tous les samedis depuis trois ans.

3 a   Comment est Tania ? Donnez **deux** détails.

1. ....

2. ....   *[2 marks]*

3 b   Son frère est très fier. Pourquoi ?

....   *[1 mark]*

3 c   Qu'est-ce qu'elle dit sur le football ? Donnez **deux** détails.

1. ....

2. ....   *[2 marks]*

WRITING

4   Translate the following passage into **French**.

> My name is Grace and I am fifteen years old. I live in a small town in the north of England, but I was born in Southampton. I am short and quite slim and I used to have long hair. Now, I have short hair. I'm chatty and I always have a good sense of humour.

....

....

....

....

....

....

[12 marks]

Score: ☐ /**24**

Section 2 — Me, My Family and Friends

My Family

1 Écoutez ces gens qui participent à une émission de radio sur le thème « Ma famille ». Pour chaque personne, choisissez la phrase correcte et écrivez la bonne lettre dans la case.

A	J'ai un frère qui est plus âgé que moi.
B	Ma tante et mon oncle s'occupent de moi.
C	Mon père s'est remarié.
D	Je n'habite plus chez mes parents.

1 a

1 b

1 c

Claudine	
Jamilah	
Quentin	

[3 marks]

2 Translate the following passage into **French**.

My family is quite big because my parents are divorced. I live with my mum and my stepfather, but I see my dad and his girlfriend at the weekend. Sometimes, it's quite complicated, especially at Christmas. Last year, I spent the Christmas holidays with my mother. I don't know where I will be this year.

....

....

....

....

....

....

....

[12 marks]

Score: ____ /15

Describing People

1 Choose the photo that matches the description and write the letter in the box.

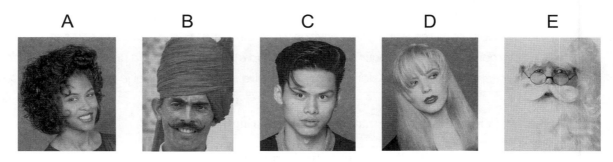

| A | B | C | D | E |

1 a Elle a les cheveux longs, blonds et raides. En plus elle a une frange. Elle est maquillée et elle porte beaucoup de rouge à lèvres.

1 b Il n'est pas très jeune et il sourit. Il a une moustache mais il n'a pas de barbe. On ne peut pas voir ses cheveux parce qu'il porte un turban.

1 c Cette personne sourit. Ses cheveux sont courts et foncés, et vraiment bouclés.

1 d Ses cheveux sont blancs et bouclés. Sa moustache est blanche aussi et il a une barbe très épaisse. Il a de petits yeux et il porte des lunettes.

1 e Cet homme n'a ni barbe ni moustache. Il a les cheveux assez courts et noirs. Il semble être assez jeune.

[5 marks]

2 Albert and Patricia are trying to describe a burglary suspect to a police officer. Describe whether the statements are **true** or **false**.

2 a Patricia thinks that the man was short. .... *[1 mark]*

2 b Albert thinks that the man was fat. .... *[1 mark]*

2 c Patricia believes that the man was ugly. .... *[1 mark]*

2 d According to Albert, the man had short hair. .... *[1 mark]*

3 Read this email Camille sent to her cousin describing people at school.

> Je vais décrire mes professeurs. J'aime beaucoup mon professeur d'anglais parce qu'il est sympa. Il est grand et mince et il a les cheveux gris et courts. Je me trompe peut-être, mais je crois qu'il a environ cinquante ans. Au contraire, ma professeur de dessin est très jeune, elle a environ vingt-cinq ans. Elle est assez petite et un peu grosse. Mon professeur de chimie est laid et très vieux et il a une barbe sale. Il n'est pas méchant mais il nous donne trop de devoirs et c'est pourquoi je ne l'aime pas du tout.

3 a Which description matches Camille's English teacher?

A	tall and thin with short hair
B	tall with grey eyes
C	medium height with grey hair

[1 mark]

3 b What does she say about her art teacher?

A	She is short and pretty.
B	She is good fun.
C	She is very young.

[1 mark]

3 c Why doesn't Camille like her chemistry teacher?

A	He is old and ugly.
B	He gives them too much homework.
C	He is nasty.

[1 mark]

4 Translate the following passage into **French**.

> I have two sisters and one brother. My brother is small, but he is very intelligent. He is quite sporty, like me. My sisters are really silly and selfish. They argue all the time. That annoys me.

....

....

....

....

....

[12 marks]

Score: [   ] / 24

Personalities

1 Lisez les commentaires sur un site de rencontres et identifiez la bonne personne.

 Je m'appelle Étienne, je viens de Nantes et j'ai trente-deux ans. Je suis gentil et généreux et mes amis disent que je suis très compréhensif. J'aimerais rencontrer quelqu'un qui soit travailleur et honnête.

 Je suis Sylvie et j'habite à Rouen. J'ai un bon sens de l'humour et je suis toujours vive. Quelquefois je suis un peu folle mais je crois que la plupart du temps je suis amusante. Je cherche un homme qui soit plein de vie et qui ne soit jamais ennuyeux.

Je m'appelle Louis et je viens de Marseille. Je voudrais rencontrer quelqu'un qui ne soit ni méchant ni égoïste. Je suis sportif et mon partenaire idéal ne devrait pas être paresseux.

1 a .... cherche un partenaire qui peut l'amuser. *[1 mark]*

1 b .... cherche un partenaire qui est très actif. *[1 mark]*

1 c .... cherche un partenaire qui ne ment pas. *[1 mark]*

2 Several students were interviewed about their family for the school magazine. For each relation, choose the correct personality trait from the list and write the letter in the box.

A	Funny	D	Impolite
B	Lazy	E	Generous
C	Hard-working	F	Lively

2 a	Le beau-père de Tristan	
2 b	La cousine d'Héloïse	
2 c	Le grand-père de Gregor	
2 d	La demi-sœur de Mirah	

[4 marks]

Score: ☐ /**7**

Relationships

1 Translate the following passage into **French**.

> I met my two best friends at a youth club. Edith is very funny and chatty, like me.
> Delphine is shy but kind and generous. They are very different but they are very nice and
> we spend lots of time together. We get on well. Sometimes it is difficult to make friends.

....

....

....

....

....—..

....—..

[12 marks]

2 Read this letter Philippe sent to the problem page of a French magazine.
Answer the questions in **English**.

> Je suis triste parce que je ne m'entends pas bien avec ma famille. Ma mère ne me comprend
> pas et on se dispute toujours. J'ai essayé de lui parler mais c'est toujours la même chose : elle
> ne m'écoute pas. Elle ne peut pas comprendre que je veux être indépendant. On se dispute
> surtout quand j'ai envie de sortir avec mes amis le soir car elle n'a pas confiance en moi.
>
> Je ne m'entends pas bien avec mon père non plus. Il travaille à Paris toute la semaine et on ne
> se voit presque jamais. Il est donc impossible de compter sur lui pour me conseiller.
>
> Aidez-moi !

2 a What is the reason for Philippe's letter?

.... *[1 mark]*

2 b Which situation causes the most arguments between Philippe and his mother?

.... *[1 mark]*

2 c Why does he find it hard to ask his father for advice?

.... *[1 mark]*

Score: [   ] / 15

Partnership

1 Écoutez cette émission de radio sur le mariage.
Complétez les phrases suivantes en **français**.

1 a   Armand est capable de

.... *[1 mark]*

1 b   Armand pense que la vie est plus simple quand on est

.... *[1 mark]*

1 c   Le copain de Zoé croit qu'il est trop tôt de

.... *[2 marks]*

2   Translate the following passage into **English**.

> Je sors avec mon petit ami depuis dix ans. Il est mon partenaire idéal parce que
> nous avons les mêmes intérêts. Pourtant nous ne nous marierons pas parce que
> ça coûte trop cher. Personnellement, je trouve que le mariage est démodé. Nous
> pouvons habiter ensemble sans être mariés et nous allons acheter une maison.

....

....

....

....

....

....

....

....

[9 marks]

Section 3 — Free-Time Activities

Music

READING

1   Translate this post from a forum about music into **English**.

> J'adore la musique. J'aime tous les genres de musique. J'écoute de la
> musique tout le temps, normalement sur mon portable. Hier, j'écoutais de
> la musique en marchant au collège quand j'ai commencé à chanter avec
> la musique. Mes amis me regardaient mais je ne savais pas pourquoi !

....

....

....

....

....

....

....

[9 marks]

TRACK LISTENING 09

2   Teenagers were asked to call in to a local radio station and give their opinion about music.
Choose the correct answer for each question and write the letter in the box.

2 a   In the future, Mark would like to...

A	go to a rock concert.
B	be in a rock band.
C	learn to play a new instrument.

[1 mark]

2 b   Kenza...

A	can play Beethoven's symphonies.
B	is learning an instrument at school.
C	sings in a choir.

[1 mark]

2 c   Alain...

A	doesn't like music.
B	likes the music his friends play.
C	likes dancing to music.

[1 mark]

3 Translate the following passage into **French**.

> My family loves music. My brother's favourite type of music is
> rap music. I find this type of music a bit boring. He listens to
> music too loudly and this annoys me. I prefer rock music. I
> went to my favourite band's concert last week and it was great.

....

....

....

....

....

....

[12 marks]

 4 Translate the following extract from a blog into **English**.

> Je télécharge la musique avec mon portable. J'adore la musique pop car
> pour moi, la musique doit me donner envie de danser. J'aime beaucoup la
> chanteuse 'Christine'. Elle a une voix géniale et ses chansons sont simples
> et faciles à comprendre. J'écoute sa musique quand je me sens triste.

....

....

....

....

....

....

[9 marks]

Score: ☐ / **33**

 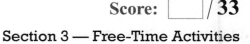 **Section 3 — Free-Time Activities**

Cinema

WRITING **1** Translate the following passage into **French**.

> I love going to the cinema and I prefer to watch films on a big screen. Last night, I went to the cinema with my friends. The film was quite funny but I prefer detective films. This year, I would like to hire a cinema for my birthday. I think that would be great.

....

....

....

....

....

....

....

....

[12 marks]

TRACK LISTENING 10 **2** Listen to this radio report about the Lumière brothers. Answer the questions in **English**.

2 a What does the cinematograph device do?

.... *[1 mark]*

2 b How long was the Lumière brothers' first film?

.... *[1 mark]*

2 c Give **two** details about the first paying public film screening.

1. ....

2. .... *[2 marks]*

Score: [ ] / 16

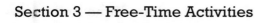

TV

1 Read these responses to an online questionnaire about TV and identify the people. Write **A** (Annabelle), **B** (Bastien) or **A+B** (Annabelle and Bastien) in the boxes.

Qu'est-ce que tu aimes regarder à la télé?			
Annabelle 	J'aime regarder les émissions informatives comme les documentaires et les actualités, mais je ne peux pas supporter les jeux télévisés.	Bastien 	Je suis très sportif et j'adore regarder les émissions de sport. Je regarde un match de football tous les soirs, même si ce n'est pas mon équipe préférée.

1 a Who likes to watch the news? ☐   **1 b** Who watches TV every night? ☐

Est-ce que tu penses qu'on regarde trop de télé?			
Annabelle	Je pense qu'il y a beaucoup d'émissions intéressantes à la télé, et on peut profiter de toute cette variété pour s'instruire et s'informer. Pourtant je trouve qu'il y a trop de publicités.	Bastien 	Selon moi, ce qui est important, c'est la qualité de ce qu'on regarde. La télévision peut nous aider à comprendre les gens et le monde. Même les feuilletons peuvent nous faire apprendre quelque chose de la vie.

1 c Who thinks that television can help educate us? ☐

[3 marks]

2 Translate the following passage into **French**.

> I don't watch much television, but I watch it when my father is not at home. I like to watch a bit of everything. Normally I watch soap operas because they are funny. I also love game shows, but I hate reality TV because it's false.

....

....

....

....

....

....

[12 marks]

Score: ☐ /15

☹ ☐   😐 ☐   🙂 ☐   Section 3 — Free-Time Activities

Food

1 Écoutez ce reportage sur la nourriture. Choisissez les **deux** phrases qui sont **vraies** et écrivez les bonnes lettres dans les cases.

1 a

A	Nos habitudes alimentaires ne sont pas comme avant.
B	On dit qu'on mange plus sainement que dans le passé.
C	Certains croient que les jeunes devraient manger plus de légumes.
D	Il y a eu un développement positif.

[2 marks]

1 b

A	Les restaurants provoquent toujours des problèmes.
B	Il est facile d'acheter de la nourriture grasse, si on veut.
C	Pour vivre sainement, il ne faut jamais manger de chocolat.
D	Beaucoup d'experts pensent qu'on devrait manger un peu de tout.

[2 marks]

2 Lisez ce blog qu'Alexandra a écrit sur le dîner qu'elle a préparé pour ses amies. Répondez aux questions en **français**.

> Hier soir, cinq de mes amies sont venues chez moi pour dîner. Comme hors d'œuvre j'ai préparé un plat d'escargots avec du beurre à l'ail. Certains croient que les français mangent des escargots tout le temps, mais ce n'est pas le cas. Mais pour un repas spécial, ils sont un vrai plaisir. Puis on a mangé du saumon avec des pommes de terre, des haricots verts et des carottes. Tout allait bien et j'étais fière de mes efforts. Cependant, le dessert était une catastrophe. J'ai essayé de préparer une 'omelette norvégienne', un dessert qui se compose de gâteau recouvert de glace et de meringue, et mis au four. Malheureusement, la glace a fondu dans le four, ce que mes amies ont trouvé très drôle !

2 a Qu'est-ce qu'elle a cuisiné pour le hors d'œuvre ?

.... *[1 mark]*

2 b Qu'est-ce qu'elles ont mangé avec le saumon ? Donnez **trois** détails.

....

.... *[1 mark]*

2 c Quelles sont les ingrédients d'une 'omelette norvégienne' ? Donnez **trois** détails.

.... *[1 mark]*

Score: [   ] /7

Eating Out

READING

1   Translate the following passage into **English**.

> L'un de mes passe-temps préférés quand je suis en vacances, c'est de manger dans les restaurants locaux et de goûter la cuisine du pays. L'année dernière, je suis allé à Berlin et j'ai goûté des spécialités allemandes, comme ses saucisses. L'année prochaine j'irai au Japon. Je crois que les restaurants là-bas seront vraiment différents.

....

....

....

....

....

....

....

[9 marks]

LISTENING 12

2   Listen to this phone conversation about eating out.
Answer the questions in **English**.

2 a   What kind of food is particularly good at the restaurant?

.... *[1 mark]*

2 b   What did Juliette use to like eating?

.... *[1 mark]*

2 c   What **two** excuses does Juliette give for not going to eat pancakes with Leo?

1. ....

2. .... *[2 marks]*

Score: ☐ /**13**

Sport

WRITING 1   Translate the following passage into **French**.

> My favourite sport is basketball. I have been playing basketball for three years. I train twice a week after school and sometimes there is a tournament at the weekend. Last week my team won. I also play tennis on Saturdays. In the future, I would like to learn how to ski.

....

....

....

....

....

....

[12 marks]

READING 2   Translate the following passage into **English**.

> Je suis très fier de ma sœur car elle est très douée pour le sport. Malheureusement, je ne suis pas sportif. Quand j'étais plus jeune, j'ai essayé de faire beaucoup de sports mais je n'avais pas de talent. Pour rester en bonne forme, je cours trois fois par semaine, mais c'est difficile et barbant

....

....

....

....

....

....

[9 marks]

READING

3 Lisez ce site internet qui parle du Tour de France. Répondez aux questions en **français**.

> Le Tour de France est la compétition cycliste la plus importante du monde et peut-être l'événement sportif français le plus célèbre. Le premier Tour de France a été organisé en 1903 et la course a eu lieu presque chaque année depuis cette première compétition. Les seules exceptions ont été pendant les deux guerres mondiales, quand le Tour a été annulé.
>
> Aujourd'hui les cyclistes qui participent au Tour sont de plus de trente nationalités. La route change chaque année et souvent la course commence dans un autre pays — en 2014, par exemple, la course a commencé dans la ville de Leeds, en Angleterre. Mais le format de la course reste toujours le même — il y a un passage à travers les montagnes des Pyrénées et des Alpes, et la course finit sur les Champs-Élysées à Paris.

3 a Qu'est-ce qui s'est passé en temps de guerre ?

.... *[1 mark]*

3 b Dans quel pays a commencé le Tour de France en 2014 ?

.... *[1 mark]*

3 c Décrivez le format de la course. Donnez **deux** détails.

1. ....

2. .... *[2 marks]*

LISTENING TRACK 13

4 Listen to this podcast about the recent Olympic Games.
Answer the questions in **English**.

4 a Which sports did Nelly like best? Give **three** details.

.... *[3 marks]*

4 b Which part of the Olympic Games did Kemal enjoy?

.... *[1 mark]*

4 c How many silver medals did France win?

.... *[1 mark]*

4 d Why was Dina particularly happy about the cycling results?

.... *[1 mark]*

Score: ☐ **/31**

Section 3 — Free-Time Activities

Technology

1 Translate the following passage into **French**.

> All my friends spend time online. This year, I got a laptop for my birthday. It is useful because I have a lot of homework. However, I also like surfing the internet. I would like to buy a new mobile phone with a touch screen but it's too expensive.

....

....

....

....

....

....

[12 marks]

2 Lisez ce que ces personnes ont écrit dans un forum sur l'utilisation d'Internet. Identifiez la bonne personne. Écrivez **L** (Laure), **M** (Marc) ou **A** (Alex)

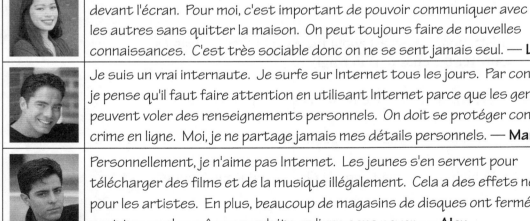

	J'adore Internet. Je parle souvent avec mes amis et je passe des heures devant l'écran. Pour moi, c'est important de pouvoir communiquer avec les autres sans quitter la maison. On peut toujours faire de nouvelles connaissances. C'est très sociable donc on ne se sent jamais seul. — **Laure**
	Je suis un vrai internaute. Je surfe sur Internet tous les jours. Par contre, je pense qu'il faut faire attention en utilisant Internet parce que les gens peuvent voler des renseignements personnels. On doit se protéger contre le crime en ligne. Moi, je ne partage jamais mes détails personnels. — **Marc**
	Personnellement, je n'aime pas Internet. Les jeunes s'en servent pour télécharger des films et de la musique illégalement. Cela a des effets négatifs pour les artistes. En plus, beaucoup de magasins de disques ont fermé car on peut trouver les mêmes produits en ligne sans payer. — **Alex**

2 a Il y a des dangers en ligne.

[1 mark]

2 b Je ne suis pas fana d'Internet.

[1 mark]

2 c Internet est utile pour la vie sociale.

[1 mark]

2 d On peut écouter de la musique gratuitement.

[1 mark]

3 Listen to this radio debate about technology. Complete the sentences in **English**.

Example: This boy thinks that technology is a bit dangerous because

you never know what you're going to find on the internet.

3 a This girl uses her smartphone to

.... *[1 mark]*

3 b This girl uses technology to

.... *[1 mark]*

3 c This boy thinks that young people

.... *[1 mark]*

4 Translate the following passage into **French**.

> I find technology very useful. However, it seems to me that many people are addicted to their tablets. Also, my friends spend too much time on their mobile phones. They send messages all the time. It's really annoying. We used to play football together but now they prefer to surf the internet.

....

....

....

....

....

....

....

....

[12 marks]

Score: ☐ / **31**

Social Media

1 Translate the following passage into **English**.

> Je suis accro aux réseaux sociaux. Je veux savoir ce que font mes amis
> et je pense que c'est un bon moyen de communiquer et de rencontrer
> les autres. L'année dernière, par exemple, j'ai fait la connaissance d'un
> garçon au Canada et nous tchattons en ligne chaque semaine.

....

....

....

....

....

....

....

[9 marks]

2 Écoutez ces interviews au sujet des réseaux sociaux.
Choisissez **deux** phrases qui sont **vraies** et écrivez les bonnes lettres dans les cases.

2 a Cho:

A	Elle n'utilise jamais les réseaux sociaux.
B	Elle échange tous ses détails personnels en ligne.
C	Elle connaît quelqu'un qui a eu des problèmes graves.
D	Son collège donne des conseils à propos des réseaux sociaux.

[2 marks]

2 b Jules:

A	Il préfère que ses vidéos restent privées.
B	Il aime montrer à tout le monde qu'il s'amuse.
C	Il envoie des messages constamment.
D	Il aime voir ce que font les autres.

[2 marks]

2 c Clara:

A	Elle met toujours toutes ses photos en ligne.
B	Elle demande la permission avant de partager des photos.
C	Tout le monde peut voir les photos qu'on poste.
D	Il est facile de supprimer les choses qu'on a mises en ligne.

[2 marks]

Score: ⬚ / **15**

The Problems with Social Media

1 Translate the following passage into **French**.

> My parents don't want me to use social networks. They think that it can be very dangerous, but I don't agree. I don't upload my photos and I never share my videos. We discuss the problems like bullying at school. However, I think that the teachers should give us more information.

....

....

....

....

....

....

....

[12 marks]

2 Translate the following passage into **English**.

> Je dois utiliser les réseaux sociaux pour mon travail. Je les trouve pratiques pour organiser ma vie. Pourtant, je crois qu''il est important d'être responsable parce que les autres peuvent voir ce qu'on met en ligne. J'écris un blog de mode mais je ne partagerais jamais d'informations personnelles.

....

....

....

....

....

[9 marks]

Score: ____ **/21**

Customs and Festivals

1 Read Marie's blog about festivals in French Guiana.
Answer the questions in **English**.

> Ici en Guyane française, on fête bon nombre de festivals que l'on célèbre en France, comme la Fête nationale, Pâques et Noël. Les jours fériés sont les mêmes qu'en France, sauf qu'il y en a quelques-uns de plus. Par exemple, nous avons la commémoration de l'abolition de l'esclavage dans les colonies françaises. Cela a lieu chaque année le dix juin. Il y a de la danse, du théâtre et des conférences pour que les gens apprennent plus sur le passé du pays.
>
> Il y a aussi quelques festivals culturels, comme le festival de jazz à Cayenne, la capitale du pays. Moi, j'adore ce festival parce qu'il y a de la musique en plein air au jardin botanique, et l'ambiance est superbe. En plus, on invite des musiciens du monde entier pour y participer, donc c'est très international. Je trouve cela formidable.

1 a List **two** festivals which are celebrated in both France and French Guiana.

.... *[2 marks]*

1 b What is the aim of the conferences held on 10th June?

.... *[1 mark]*

1 c Why does Marie enjoy the jazz festival? Give **two** details.

1. ....

2. .... *[2 marks]*

2 Listen to this podcast about Eid.
Choose the **two** statements which are **true** and write the letters in the boxes.

A	Early morning prayer is part of the celebrations.
B	Adults dress in simple, plain clothes.
C	Muslims in all countries eat the same thing at Eid.
D	It is forbidden to dance during Eid.
E	It is traditional for children to wear new clothes.

☐   ☐

[2 marks]

3 Complétez cet article au sujet du Carnaval avec les mots de la liste ci-dessous.

Le Carnaval vient de la ⬚ G ⬚ catholique du 'Mardi gras', qui est le dernier

jour avant le **carême**[1]. Historiquement, les chrétiens n'avaient pas le droit de manger de la

⬚ pendant les quarante jours du carême. Pour cette raison, le Mardi gras est ⬚

une journée de festivités et de grands repas, et le Carnaval vient de cette tradition.

On fête le Carnaval partout en France. Les rues sont pleines de gens et il y a des défilés et

d'autres événements ⬚ . Le Carnaval de Nice est très ⬚ et il attire de nombreux

touristes qui ont envie d'y participer. Il y a beaucoup de musique et de danse.

---

[1]**Lent**

A	célèbre
B	touristes
C	spectaculaires
D	devenu
E	développé
F	viande
G	tradition

[4 marks]

4 Translate the following passage into **French**.

The 14th July is Bastille Day in France. Lots of tourists go to Paris to see the processions.
This year, I went to a park near the Eiffel Tower to watch the fireworks. It was a great
experience. My friends would like to visit Paris next year, so we will celebrate together.

....

....

....

....

....

....

....

[12 marks]

Section 5 — Customs and Festivals

5 Listen to this radio programme about how New Year is celebrated in France. Choose the correct answer for each question and write the letter in the box.

5 a According to Madame Romero, what time do guests usually arrive for New Year's Eve?

A	around 8 pm
B	just before 9 pm
C	whenever they feel like it

[1 mark]

5 b When celebrating New Year's Eve, guests...

A	must finish eating before midnight.
B	start eating long before 10 pm.
C	eat around 10 pm or 11 pm.

[1 mark]

5 c What do people do after midnight?

A	They go home straight away.
B	They continue to celebrate.
C	They play games.

[1 mark]

5 d What are "les étrennes"?

A	special sweets made at New Year
B	the meals eaten on New Year's Day
C	gifts of money or sweets

[1 mark]

6 Translate the following passage into **French**.

> New Year's Day is a bank holiday in France. Usually, people eat lunch with their family. Last year, my grandmother cooked a delicious meal. I think that it's important to respect traditions. However, I would like to go on holiday at New Year to see the celebrations in another country.

....

....

....

....

....

[12 marks]

Score: ☐ /39

The Home

1 Translate the following passage into **English**.

> J'habite avec mes parents, mon frère et ma sœur. Quand j'étais plus jeune, nous habitions dans un appartement au centre-ville. Maintenant, nous habitons dans une grande maison qui se trouve près du parc. J'aime ma maison parce qu'il y a beaucoup d'espace pour toute la famille. Pourtant, la maison est très vieille.

....

....

....

....

....

....

[9 marks]

2 Listen to this person describing her home.
Choose the correct answer for each question and write the letter in the box.

2 a Where is the flat?

A	near the shops
B	on the third floor
C	on the first street on the left

[1 mark]

2 b How many people live there?

A	one
B	two
C	three

[1 mark]

2 c Why does she like the kitchen?

A	It smells of coffee.
B	It's nice and big.
C	It has a balcony.

[1 mark]

Score: ☐ / **12**

What You Do at Home

1 Translate the following passage into **French**.

> I get up at 7 o'clock. I have a shower and then I get dressed. I have breakfast and
> I watch television. I leave the house at half past eight and walk to school. When it
> rains my dad drives me to school. School starts at 9 o'clock and you must not be late.

....

....

....

....

....

....

[12 marks]

2 Translate the following blog post into **English**.

> Hier, j'ai passé une journée affreuse. D'habitude, je me lève à six heures,
> mais hier, j'ai dormi jusqu'à sept heures et demie. J'ai manqué l'autobus
> pour aller au travail donc j'ai dû y aller à pied. J'étais en retard et la patronne
> n'était pas contente. J'espère que le reste de la semaine sera plus facile.

....

....

....

....

....

[9 marks]

3 Listen to these people talking about what they do to help at home. Complete the table to show what they like and dislike doing.

	Likes...	Dislikes...
Example: Fatima	walking the dog	gardening

	Likes...	Dislikes...
3 a Ousmane		
3 b Mai		

3 a *[2 marks]*

3 b *[2 marks]*

4 Lisez ces annonces et répondez aux questions.
Écrivez la bonne lettre dans la case.

> Étudiant honnête cherche du travail. Je peux vous aider à passer l'aspirateur, à nettoyer les salles de bain et la cuisine ou à laver la voiture: tous les travaux domestiques que vous détestez ! Je suis libre le lundi, le mardi et le samedi.

4 a Qu'est-ce que cet étudiant peut faire pour vous aider à la maison ?

A	faire la vaisselle
B	laver la douche et le bain
C	ranger les chambres

[1 mark]

> Avez-vous besoin de quelqu'un qui peut prendre soin de votre pelouse et de vos fleurs, et qui est aussi capable de réparer une fenêtre ? Je peux vous aider et rendre votre vie plus facile. Appelez-moi, Marie Duris, au 06 78 93 02 12.

4 b Marie Duris vous offre de l'aide avec quelle tâche ?

A	le soin des enfants
B	la cuisine
C	le jardinage

[1 mark]

Score: ___ /**27**

Talking About Where You Live

READING

1   Read Mattéo's post on a website and Chantelle's reply. Answer the questions in **English.**

Mattéo	Je viens de visiter Paris, et vraiment je ne voudrais jamais revenir dans cette ville affreuse. La circulation était vraiment effrayante, je n'avais jamais vu autant de voitures au centre d'une ville. Il y avait un embouteillage dans chaque rue et par conséquent, la pollution de l'air et le bruit étaient insupportables.
Chantelle	Comment peux-tu écrire une telle chose, Mattéo ? Paris est la ville la plus belle du monde ! Oui, c'est vrai qu'il y a beaucoup de circulation mais on ne peut pas trouver une autre ville avec autant d'histoire et de culture. Viens voir la ville avec une parisienne et je te montrerai les merveilles de Paris ! Il te reste beaucoup à découvrir.

1 a   Why doesn't Mattéo like Paris? Give **one** detail.

.... *[1 mark]*

1 b   How does Chantelle describe Paris?

.... *[1 mark]*

1 c   What does Chantelle offer to do?

.... *[1 mark]*

LISTENING **TRACK 20**

2   Écoutez ces gens qui parlent des villes où ils habitent. Pour chaque personne, choisissez l'expression qui décrit leur ville. Écrivez la bonne lettre dans la case.

A	à la campagne
B	à la montagne
C	au bord de la mer
D	une ville de production
E	dans une région isolée

2 a   ☐

                                                 [1 mark]

2 b   ☐

                                                 [1 mark]

WRITING **3** | Translate the following passage into **French**.

> I have lived in La Rochelle for five years. La Rochelle is in the south-west of France. It is a very lively town and there is always something to do. You can go to the beach or go surfing. I would like to stay here because I like living close to the sea.

....

....

....

....

....

....

....

[12 marks]

 4 | Lisez ce que Jean a écrit sur sa ville. Répondez aux questions en **français**.

> J'habite à Bruxelles. Bruxelles a une population d'environ deux cent mille habitants. C'est une ville très notable parce que c'est la capitale de la Belgique et que la plupart des institutions de l'Union européenne y sont situées. C'est aussi une très belle ville, avec un grand nombre de bâtiments anciens et intéressants au cœur de la ville. Il y a beaucoup de touristes qui viennent visiter la ville — quelquefois ça m'énerve mais généralement j'aime habiter ici.

4 a Bruxelles est une ville importante pour quelles raisons ? Donnez **deux** raisons.

1. ....

2. .... *[2 marks]*

4 b Qu'est-ce qu'il y a au centre ville ?

.... *[1 mark]*

4 c Qu'est-ce que Jean pense des touristes ?

.... *[1 mark]*

Score: ☐ /**21**

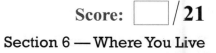

Shopping

1 When on holiday in France you hear these announcements in a shopping centre.
Choose the correct answer for each question and write the letter in the box.

1 a On a Thursday, the shops are...

A	open all night.
B	open until 6 pm.
C	open until 9 pm.

[1 mark]

1 b What are you offered if you spend more than €100?

A	a free gift
B	gift wrap
C	a discount

[1 mark]

1 c How many different types of restaurant are there?

A	eight
B	ten
C	eighteen

[1 mark]

2 Translate the following passage into **French**.

> It is my girlfriend's birthday this week, so I must buy a present.
> Yesterday I went to the department store. I found a pretty dress
> but the shop did not have her size. I also saw a hat, but it was too
> expensive. I will buy flowers for my girlfriend, but I think that is boring.

....

....

....

....

....

....

....

[12 marks]

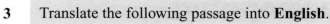

3 Translate the following passage into **English**.

> Mes parents me donnent 40 euros par mois. Je mets de l'argent de côté pour acheter les vêtements que je vois dans les magazines. Cette saison tous les mannequins portent des gilets. J'ai déjà beaucoup de vêtements que j'ai achetés récemment mais ils ne sont plus à la mode.

....

....

....

....

....

....

....

[9 marks]

4 Some shoppers were interviewed as part of a competition in a shopping centre. Answer the questions in **English**.

4 a Which **two** extra items did Frédéric buy?

1. ....

2. .... *[2 marks]*

4 b Why didn't Manon buy anything?

.... *[1 mark]*

4 c What does Abdoul say he prefers to do?

.... *[1 mark]*

Score: ☐ **/28**

 ☐ ☺ ☐ ☺ ☐

Section 6 — Where You Live

More Shopping

1   Translate the following passage into **French**.

> My friends are going to stay at my house, so I went to the supermarket this morning. I bought half a kilogram of beef, some green beans and some ice cream. Usually I prefer to do my shopping online because it is easier. However, sometimes I like to go into town.

....

....

....

....

....

....

[12 marks]

2   Translate the following passage into **English**.

> La semaine prochaine je vais aller en vacances, donc demain j'irai au centre-ville pour acheter des vêtements neufs. Je voudrais deux robes en rose pâle et bleu foncé, un short, deux paires de sandales et un blouson. J'espère que le temps sera beau, donc j'ai besoin d'un maillot de bain, d'un chapeau de soleil et de crème solaire.

....

....

....

....

....

....

....

[9 marks]

Score: ☐ **/21**

Giving and Asking for Directions

1 Read the directions for getting to the Hôtel Magnifique.
Answer the questions in **English**.

> Quand vous arriverez à la gare, suivez les panneaux 'Place de la Concorde' et
> sortez à cet endroit. Prenez ensuite la rue de la Gloire et allez tout droit
> jusqu'au commissariat. Tournez à droite et puis traversez la rue. L'église de
> Saint Michel sera à votre gauche. Prenez la rue à côté de l'église et allez tout
> droit. Vous passerez devant le parc. Prenez la première rue à gauche après le
> parc et l'Hôtel Magnifique se trouvera au bout de la rue, en face de la poste.

1 a What should you do when you get to the police station?

.... *[1 mark]*

1 b What should you do once you've got to the church?

.... *[1 mark]*

1 c Where is the post office?

.... *[1 mark]*

2 Pendant un séjour scolaire en France, vous écoutez ces gens qui demandent leur chemin.
Répondez aux questions en **français**.

2 a Où se trouve la bibliothèque ? Mentionnez **deux** détails.

1. ....

2. .... *[2 marks]*

2 b Le cinéma est à quelle distance ?

.... *[1 mark]*

2 c Où est l'hôpital ? Mentionnez **deux** détails.

1. ....

2. .... *[2 marks]*

Score: ⬚ **/8**

Weather

1 Translate the following passage into **French**.

> Today it is sunny and very hot in the south of France. In the north of France, it is cloudy. Tomorrow it will be windy in the south but the weather will be fine. However, in the north, it will rain and it will be quite cold, but there will be bright spells in the afternoon.

....

....

....

....—-

....—-

....

[12 mcrks]

2 You read this online review of a trip to London.

> Le matin du départ, il faisait mauvais et notre vol était retardé parce qu'il y avait des vents forts. Quand finalement nous sommes arrivés à Londres, il faisait très froid et il pleuvait. En fait, il a plu toute la semaine, sauf notre dernier jour quand il a neigé ! Nous n'avons pas pu visiter les parcs à cause de la pluie — nous ne voulions pas être trempés. Pour couronner le tout, le jour de notre départ il y avait des orages, du tonnerre et des éclairs. J'avais vraiment peur et je ne voulais pas sortir de l'hôtel. J'irai en Espagne l'année prochaine !

Complete the grids below in **English** to show what the problems were and why.

		Problem	Reason
Example:	The flight	delayed	strong winds

2 a	The parks	Problem	Reason

[2 marks]

2 b	The day of departure	Problem	Reason

[2 marks]

Score: ⬜ /16

Healthy Living

1 In France, you hear this radio phone-in programme about healthy living. Choose the correct topic for each caller and write the letter in the box.

A	exercise
B	losing weight
C	healthy eating
D	sleep
E	relaxation

1 a ☐

[1 mark]

1 b ☐

[1 mark]

1 c ☐

[1 mark]

2 Translate the following passage into **French**.

> I would like to be in good shape, so I try to eat well. I think that it is important to be healthy when you are young. I used to eat a lot of ice cream but now I prefer to eat balanced meals. Also, I exercise three times a week. I walk to school instead of taking the bus.

....

....

....

....

....

....

....

[12 marks]

Score: ☐ **/15**

Unhealthy Living

READING 1 Translate the following passage into **English**.

> Il y a beaucoup de gens qui voudraient être maigres comme les célébrités qu'on voit à la télévision. C'est souvent un problème parmi les jeunes. L'année dernière, ma meilleure amie voulait être plus mince et elle a fait un régime. Elle était fatiguée tout le temps. C'était vraiment triste.

....

....

....

....

....

....

....

[9 marks]

LISTENING TRACK 25 2 Some young people were interviewed as part of an anti-smoking campaign. Listen to the interview and complete the sentences in **English**.

2 a Randa thinks that smoking is .... She hates other people

smoking because .... *[2 marks]*

2 b Smoking helps Marcin to ....

His girlfriend thinks he should try to .... *[2 marks]*

2 c Sophie used to smoke but ....

She realised that .... *[2 marks]*

Section 7 — Lifestyle

Score: ☐ /15

Illnesses

1 Translate the following passage into **French**.

> I'm not feeling well today. I have a headache and a sore throat. I saw the
> doctor because I was coughing a lot. The doctor did not give me any medicine
> but told me to go home and go to bed. I hope I will feel better tomorrow.

....

....

....

....

....

....

[12 marks]

2 Translate the following passage into **English**.

> Demain il y aura un match important pour mon équipe de football. Pourtant, je
> m'inquiète parce que les joueurs ont eu beaucoup de problèmes de santé. Chloé
> s'est cassé le bras et ne pourra pas jouer demain. Michelle a mal à l'oreille et sa
> mère ne la laisse pas sortir de la maison. En plus, deux autres filles sont malades.

....

....

....

....

....

....

....

[9 marks]

Score: .... /21

Section 7 — Lifestyle

Environmental Problems

1 Lisez ces commentaires dans un forum sur l'environnement. Identifiez la bonne personne pour chaque phrase ci-dessous. Écrivez **A** (Amir), **B** (Blaise), ou **A+B** (Amir et Blaise).

Amir

Je m'intéresse beaucoup à l'environnement. Selon moi, il faut penser à l'avenir, et nous devrions sauvegarder l'environnement pour nos enfants. Les émissions générées par le monde développé sont la cause principale du réchauffement de la Terre. Nous devons tous changer notre mode de vie et utiliser des énergies renouvelables, comme l'énergie solaire, avant qu'il ne soit trop tard.

Blaise

Je ne m'inquiète pas du tout au sujet de l'environnement. Je ne me fais pas de soucis pour le futur de la Terre. Les gouvernements devraient trouver des solutions pour que nous puissions maintenir le style de vie auquel nous sommes habitués. Moi, je ne voudrais pas changer mes habitudes. En plus, il y a d'autres choses qui sont plus importantes, comme les problèmes sociaux.

1 a Seulement le gouvernement est responsable de l'environnement. ☐ *[1 mark]*

1 b Il faut que tout le monde change ses habitudes. ☐ *[1 mark]*

1 c L'environnement n'est pas l'ennui le plus grave. ☐ *[1 mark]*

2 Listen to this podcast on recycling. Answer the questions in **English**.

2 a Why is recycling important?

.... *[1 mark]*

2 b What should people do to help? Give **two** details.

1. ....

2. .... *[2 marks]*

2 c Name **two** things that can be recycled.

.... *[2 marks]*

3 Translate the following passage into **French**.

> Rubbish is a serious problem in my area. People throw away lots of
> things that pollute the Earth. Last year, my village threw away one
> hundred tonnes of rubbish. In my opinion, we use too many plastic bags.
> I would like to produce less rubbish and I am going to buy green products.

....

....

....

....

....

....

....

[12 marks]

4 Read this website post that Karim wrote about traffic in Nice.

> Je vis au centre de Nice. J'adore la ville, mais ce qui m'énerve c'est qu'il y a
> beaucoup de pollution à cause de la circulation intense. Il y a toujours des
> embouteillages, et le gaz d'échappement cause la pollution atmosphérique. Selon
> moi, le gouvernement a une responsabilité à assumer — il faut créer plus de zones
> piétonnes et d'espaces verts au centre de la ville, et construire plus de pistes
> cyclables. On devrait encourager les gens à marcher ou à utiliser les transports
> en commun, comme le train ou l'autobus, au lieu de conduire. Si vraiment on doit
> aller au travail en voiture, on pourrait partager le voyage avec des collègues.

According to Karim, which **two** statements are **true**? Write the letters in the boxes.

A	Cars should be completely banned in the centre of Nice.
B	Increasing the number of cycle lanes would help reduce pollution.
C	There is not enough public transport.
D	People should car share instead of driving to work separately.

[2 marks]

Score: ☐ /**22**

Problems in Society

1 Écoutez ces interviews avec des jeunes qui parlent de l'inégalité sociale. Complétez les phrases suivantes en **français**.

1 a Certaines personnes traitent Henri différemment car il...

.... *[1 mark]*

1 b En matière des droits de l'homme, Henri pense que la couleur de la peau...

.... *[1 mark]*

1 c Parfois, on regarde Mischa bizarrement quand elle porte...

.... *[1 mark]*

2 Translate the following passage into **French**.

> Unemployment is a big problem in my town. The factory closed
> last year, and more than four hundred people lost their jobs. There
> were not many other opportunities in the area, so it was very difficult
> for some families. I hope that I will be able to find work in the future.

....

....

....

....

....

....

....

[12 marks]

3 Translate the following passage into **English**.

> J'habite dans une grande ville où il y a beaucoup de violence, et j'ai vraiment peur des bandes dans mon quartier. Le soir, il y a des endroits que j'évite, surtout parce qu'une fois j'ai été agressé en rentrant à la maison. C'était effrayant. Il faut faire quelque chose mais je ne sais pas quoi.

....

....

....

....

....

....

....

[9 marks]

4 Neema is talking about her experience of being an immigrant in France.
Choose **two** sentences from each list which are **true** and write the letters in the boxes.

4 a

A	Neema arrived in France ten years ago.
B	Women have the same rights as men in Neema's country of origin.
C	Neema can get an education in France.
D	Neema will be able to find a job in France.
E	Neema is planning to return to her home country.

☐ ☐

[2 marks]

4 b

A	Neema doesn't think that refugees should be welcomed in France.
B	According to Neema, natural disasters can create refugees.
C	In Neema's experience, everyone is scared of immigration.
D	Neema thinks that other people should help her.
E	Neema would like to make a contribution to society.

☐ ☐

[2 marks]

Score: ☐ /**28**

😐 ☐   🙂 ☐   😊 ☐

Contributing to Society

WRITING 1 Translate the following passage into **French**.

> I think that it is very important to protect the environment. There
> is a lot that we could do at home. For example, in the winter I
> always switch off the central heating during the day. Yesterday,
> I took a shower instead of a bath because that uses less water.

....

....

....

....

....

....

....

[12 marks]

 READING 2 Translate the following passage into **English**.

> Nous devrions tous respecter l'environnement. Les émissions des voitures et des
> avions ont déjà joué un grand rôle dans la pollution de l'air, donc nous devrions
> essayer de trouver des moyens de transport qui endommagent moins l'environnement.
> Par exemple, on pourrait prendre le train au lieu de l'avion pour aller en vacances.

....

....

....

....

....

....

[9 marks]

3 Lisez l'email de Ravi qui parle de son travail bénévole.
Répondez aux questions en **français**.

> La semaine dernière j'ai commencé un nouveau travail bénévole. Je travaille dans un refuge pour les sans-abri le samedi. Le refuge est important pour venir en aide aux personnes sans abri et à celles qui risquent de se retrouver sans abri. Nous offrons un refuge d'urgence de 24 heures ainsi que des services de soutien. Mon rôle est de nettoyer la salle à manger, et d'aider dans la cuisine à l'heure du déjeuner. J'espère que mes efforts aideront un peu.

3 a Où travaille Ravi ?

.... *[1 mark]*

3 b Que fait le refuge pour aider les gens ? Donnez **deux** détails.

1. ....

2. .... *[2 marks]*

3 c Que fait Ravi au refuge ? Donnez **deux** détails.

1. ....

2. .... *[2 marks]*

4 Listen to this local radio report about a charity fund-raising event.
Choose the correct answer for each question and write the letter in the box.

4 a People living in the town have just put on...

A	a week of sporting competitions.
B	a charity sports day.
C	an inter-school rugby tournament.

[1 mark]

4 b The mayor came up with the idea because...

A	her mother died from cancer.
B	there is a cancer hospital in town.
C	she is interested in medical research.

[1 mark]

4 c The events included...

A	a race around the town.
B	a boxing tournament.
C	a dressing up competition.

[1 mark]

Score: [   ] **/29**

Section 8 — Social and Global Issues

Where to Go

1   Translate the following passage into **French**.

> I love to go on holiday with my family and last year, we spent two weeks in Spain. I prefer
> holidays by the sea because I like to swim. However, my parents prefer to visit different cities,
> so next summer, we will go to Rome. I have never been to Italy so it will be very interesting.

....

....

....

....

....

....

[12 marks]

2   Read this online advert for holiday jobs. Answer the questions below in **English**.

> Vous vous ennuyez pendant les grandes vacances ? Vous ne savez pas quoi faire ?
>
> Plus d'un quart des jeunes en France partent en vacances avec leur famille parce qu'ils
> pensent que c'est trop cher de partir seul ou avec des copains.
>
> Alors vous êtes parmi ceux qui n'ont pas beaucoup d'argent ? Pourquoi ne pas trouver un job
> d'été ? Vous pouvez travailler dans une colonie de vacances dans un autre pays européen.
> Comme ça, vous apprendrez une autre langue tandis que vous gagnerez un peu d'argent.

2 a   Why do over a quarter of young French people go on holiday with their parents?

....   *[1 mark]*

2 b   Where does the article suggest young people work? Give **one** detail.

....   *[1 mark]*

2 c   What are the **two** advantages of working there?

1. ....

2. ....   *[2 marks]*

Score: [   ] **/16**

Accommodation

 1 Écoutez ces interviews. Choisissez **deux** phrases qui sont **vraies** et écrivez les bonnes lettres dans les cases.

1 a Zamzam

A	Elle passe ses vacances avec sa famille.
B	Elle va toujours aux magasins pendant le séjour.
C	Elle achète de la nourriture avant de partir en vacances.
D	Elle part à la campagne.

[2 marks]

1 b Rayad

A	Il aime faire du camping.
B	Il aime les vacances à la campagne.
C	Il n'est pas obligé de payer ses vacances.
D	Il aime la nourriture.

[2 marks]

1 c Nathalie

A	L'auberge de jeunesse ne coûtait pas cher.
B	Elle avait sa propre salle de bains dans l'auberge.
C	Les dortoirs n'étaient pas propres.
D	Elle va y retourner l'année prochaine.

[2 marks]

2 Translate the following passage into **French**.

> Last year my family stayed in a small hotel in England. What a disaster! Our room was very small. The bathroom was really dirty, it was disgusting. The food in the restaurant was terrible and the waiter was rude. Next year we will go to China and visit a theme park.

....

....

....

....

....

....

[12 marks]

Score: ☐ / **18**

Getting Ready to Go

READING

1 Translate the following passage into **English**.

> L'hôtel le plus nouveau de Paris vient d'ouvrir ses portes. Il se trouve au centre-ville tout près de la tour Eiffel. On y arrive très facilement, grâce au bon réseau de transports publics à Paris. A l'hôtel, il y a un grand restaurant avec un bon choix de spécialités françaises. Pour réserver une chambre dans cet hôtel magnifique, visitez son site internet.

....

....

....

....

....

....

....

[9 marks]

TRACK LISTENING 31

2 You telephone a hotel in France to book your summer holiday. Listen to the answerphone message.

2 a Which option do you need for a summer holiday?
Write the correct number in the box.

[1 mark]

2 b What would you find on the hotel website?

.... *[1 mark]*

2 c Which **three** details should you provide if you wish to speak to someone?

1. ....

2. ....

3. .... *[3 marks]*

Score: ☐ / **14**

How to Get There

1 Translate the following passage into **French**.

> Last summer, I went to France with my friend. We travelled by car and
> boat. The crossing lasted one hour but unfortunately my friend felt ill.
> The car journey was long but interesting. Usually I prefer to take the
> aeroplane because it is quicker. Next year we will visit Germany by train.

....

....

....

....

....

....

....

[12 marks]

2 Translate the following passage into **English**.

> Le transport en commun français est excellent. Dans les grandes villes,
> il y a le métro qui ne coûte pas cher. Pour voyager dans le pays, il y a le
> TGV qui est très rapide et un système d'autoroutes très bien développé.

....

....

....

....

....

....

....

[9 marks]

Score: ☐ **/21**

Section 9 — Travel and Tourism

What to Do

 1 Lisez ces descriptions sur un site de tourisme.

Lyon	Ville gastronomique avec un bon choix de restaurants pour tous les goûts.
Bordeaux	Une ville intéressante avec beaucoup de musées et d'architecture magnifique. Excursion aux vignobles pour voir comment on fait du vin. Il y a aussi un beau jardin botanique.
Cannes	Ville connue pour son festival de cinéma. Promenez-vous parmi les célébrités le long de La Croisette à côté de la mer.
La Rochelle	Ville maritime sur la côte ouest de la France. Admirez les anciennes rues ainsi que le port. Excursions en bateau. On peut aussi y faire des sports nautiques.

Choisissez la ville correcte pour compléter chaque phrase.

Example: Si vous aimer les plantes, vous devriez aller à .....Bordeaux........... .

1 a On peut bien manger à .... *[1 mark]*

1 b Si vous aimez le sport, ... est pour vous. *[1 mark]*

1 c Si la production d'alcool vous intéresse, allez à .... *[1 mark]*

1 d Les touristes qui aiment les vedettes peuvent aller à .... *[1 mark]*

2 Écoutez ce reportage au sujet des vacances en Bretagne. Choisissez les **deux** phrases qui sont **vraies** et écrivez les bonnes lettres dans les cases.

2 a

A	La Bretagne se trouve dans l'est de la France.
B	La Bretagne n'est pas loin de Paris.
C	On y mange bien.
D	La Bretagne est ennuyeuse pour les jeunes.

☐ ☐

[2 marks]

2 b

A	Cette région est très bien pour ceux qui aiment la planche à voile.
B	Il y a des plages calmes où on peut aller en famille.
C	On peut y faire seulement de la planche à voile.
D	Il n'y a jamais de vent en Bretagne.

☐ ☐

[2 marks]

Score: ☐ /8

Section 9 — Travel and Tourism ☹ ☐ 😐 ☐ ☺ ☐

Talking About Holidays

1 Translate the following passage into **French**.

> For me, holidays are very important. I like to relax and spend time with my family. We always go abroad and try different activities. Last year we spent two weeks in the USA and next year we will go to France. We are going to go camping — it will be great.

....

....

....

....

....

....

....

[12 marks]

2 Complete this travel blog using words from the list below.
Write the correct letter in each box.

> Je suis ici en Bosnie-Herzégovine depuis seulement trois jours et je suis déjà tombée amoureuse du pays ! Une fois arrivée à l'auberge de jeunesse, j'ai ⬚ C tout de suite à m'amuser. Il y a de nombreux jeunes qui voyagent en Europe comme moi et tout le monde a des histoires intéressantes à ⬚ .
> Quant au pays, la Bosnie a un ⬚ tragique et on peut le découvrir dans les nombreux musées. Les gens ici sont très aimables et j'ai déjà ⬚ des spécialités nationales. Demain je ⬚ le train au petit matin pour aller à Sarajevo.

A	passé	D	manquais
B	prendrai	E	partager
C	commencé	F	goûté

[4 marks]

School Subjects

1   Pendant un échange scolaire, vous entendez ces jeunes qui parlent de leurs études. Écrivez la bonne lettre dans la case pour compléter les phrases.

1 a   Pour Karine...

A	les langues ne sont pas faciles.
B	la chimie est difficile.
C	c'est très utile de savoir parler une autre langue.

[1 mark]

1 b   Nadia pense que c'est essentiel de...

A	parler avec les autres.
B	ne pas perdre son temps devant un écran.
C	savoir bien utiliser un ordinateur.

[1 mark]

1 c   Salim pense que...

A	les jeunes utilisent trop les ordinateurs.
B	c'est toujours nécessaire d'utiliser un ordinateur.
C	les ordinateurs aident à étudier les maths.

[1 mark]

2   Lisez cet email de Mia qui parle de la rentrée. Répondez aux questions en **français**.

> Cette année je serai en seconde. Je me fais du souci pour les sciences car j'aurai un nouveau professeur cette année. J'espère que je vais l'aimer. Ma matière préférée c'est l'instruction civique parce que j'adore partager mes opinions et discuter avec mes camarades de classe. Je déteste la géographie car je trouve que c'est très ennuyeux et en plus je n'aime pas le professeur. Malheureusement, ma meilleure copine, Sandrine, a échoué en maths l'année dernière donc elle doit redoubler. Ce sera la première fois que nous ne serons pas ensemble. Elle a très peur d'être sans ses copines.

2 a   Pourquoi est-ce que Mia s'inquiète pour les sciences ?

.... *[1 mark]*

2 b   Pourquoi est-ce qu'elle aime l'instruction civique ? Donnez **un** détail.

.... *[1 mark]*

2 c   Pourquoi Sandrine a-t-elle peur ?

.... *[1 mark]*

Score: ☐ / **6**

😐 ☐   🙂 ☐   😊 ☐

School Routine

READING

1 Translate the following passage into **English**.

> Je trouve que la journée scolaire est trop longue. Nous commençons à huit heures trente et nous avons deux heures de cours avant la récréation. Le déjeuner dure une heure. Après ça, il y a cours jusqu'à cinq heures. L'année prochaine sera encore plus difficile car les cours finiront à cinq heures et demie.

....

....

....

....

....

....

....

[9 marks]

LISTENING TRACK 34

2 Listen to this podcast recorded by your French partner school. Complete the phrases in **English**.

Example: On Mondays, lessons start at ....*eight o'clock*........ .

2 a At the music club, the students .... and use ....

.... *[2 marks]*

2 b On Wednesdays, there are no lessons ....

Lots of students .... *[2 marks]*

2 c On Fridays, the students do lots of ....

On Saturdays, there are only lessons... . *[2 marks]*

Score: ☐ /15

School Life

1 Translate the following passage into **French**.

> I go to the big secondary school in my town. I am in year 11. The school is quite old but it is very well equipped. There is a sports pitch, and next year there will be a new swimming pool. I would not like to go to the private school in my town because they only do one hour of sport per week.

....

....

....—

....

....

....—.

[12 marks]

2 Translate the following passage into **English**.

> Je vais aller au lycée près de chez moi. Le bâtiment est très moderne et les salles de classe sont grandes. En plus, je pourrai chanter dans la chorale et jouer dans l'orchestre. Malheureusement, ma meilleure amie n'ira pas au lycée avec moi, car elle veut aller au lycée professionnel.

....

....—.

....—

....

....

....—......

[9 marks]

Score: [ ] /21

Section 10 — Current and Future Study and Employment

School Pressures

1 Translate the following passage into **French**.

> I am fed up with school because there is a lot of pressure. The lessons are boring and I don't like them. Yesterday, my teacher got angry and I had detention during the lunch break. Also, we have to wear a school uniform but I would prefer to choose my clothes myself.

....

....

....

....

....

....

....

[12 marks]

2 You are listening to a radio phone-in programme about school pressures.
For each speaker, write down the problem they face and the solution they offer in **English**.

2 a   Geeta

Problem	Solution

[2 marks]

2 b   Sascha

Problem	Solution

[2 marks]

Score: ☐ / **16**

Education Post-16

WRITING

1 Translate the following passage into **French**.

> Next year, I am going to leave school. It is difficult to find work so I would prefer to learn and earn money at the same time. My friends don't agree and they will stay at school to do the exams. They will go to university and then they will start working.

....

....

....

....

....

....

[12 marks]

READING

2 Read these Internet posts about further education.
Identify the people by writing either **Y** (Yuki), **A** (Ankit), **M** (Marc) or **L** (Lucie).

Yuki	Si on veut faire un travail manuel, c'est mieux de faire un apprentissage. En travaillant comme apprenti, on apprend un métier et on ne perd pas de temps.
Ankit	Je trouve que si on veut une carrière intéressante, il est essentiel de continuer ses études. Moi, je veux réussir mon bac et après ça, on verra.
Marc	C'est très important de réussir aux examens. Je vais continuer mes études parce que je sais ce que je veux faire plus tard et j'ai besoin de qualifications.
Lucie	Je pense qu'on peut étudier et travailler en même temps. On peut trouver un travail à temps partiel donc gagner de l'argent et avoir un diplôme.

Example: Who wants to learn on the job?   `Y`

2 a Who has already decided on a career path? ☐ *[1 mark]*

2 b Who thinks it's a good idea to have a part-time job while studying? ☐ *[1 mark]*

2 c Who will make plans after doing A-levels? ☐ *[1 mark]*

Score: ☐ / **15**

Section 10 — Current and Future Study and Employment

Career Choices and Ambitions

1   Écoutez ces publicités et choisissez les **deux** phrases qui sont **vraies**.
Écrivez les bonnes lettres dans les cases.

1 a

A	Pour ce travail, il faut aimer être seul.
B	Les diplômes sont importants.
C	C'est un travail de vacances.
D	Un sens de l'humour est essentiel.
E	On travaille dans un hôpital.

[2 marks]

1 b

A	Pour ce travail, il faut avoir passé des examens.
B	Il faut payer les repas.
C	On travaille tous les jours de la semaine.
D	C'est un travail qui en vaut la peine.
E	Le travail est très facile.

[2 marks]

2   Translate the following passage into **French**.

> In the future, I would like to be an accountant. It would be a rewarding job because maths is my favourite subject. I want to work in a big firm. My friend prefers art and he would like to be a fashion designer. I hope that there will be opportunities in my town.

....

....

....

....

....

....

[12 marks]

3 Lisez ces conseils d'un magazine pour les jeunes et répondez aux questions. Écrivez les bonnes lettres dans les cases.

> Il faut continuer ses études le plus longtemps possible. Beaucoup de jeunes croient qu'il est important de gagner de l'argent tout de suite après avoir quitté l'école mais bien que cela semble être une bonne idée au début, à long terme, il vaut mieux obtenir des diplômes.

3 a Qu'est-ce qu'on devrait faire après avoir quitté l'école ?

A	continuer ses études
B	faire quelque chose qui vous fait plaisir
C	gagner de l'argent

[1 mark]

> De nos jours les qualifications sont tellement importantes. Il devient de plus en plus difficile de trouver du travail, donc il est conseillé de bien réfléchir à ce qu'on veut faire après l'école. L'université n'est pas pour tout le monde et il y a d'autres options comme les apprentissages.

3 b Qu'est-ce qu'on vous conseille exactement ?

A	Il vaut mieux trouver un travail tout de suite.
B	Il faut bien considérer avant de se décider.
C	Tout le monde a besoin d'une licence.

[1 mark]

 4 Translate the following passage into **English**.

> Je viens de passer mes examens et je ne sais pas ce que je vais faire à l'avenir. Mon père est avocat, mais ça ne m'intéresse pas. Je n'aimerais pas être assis tout le temps car je suis très actif. Ma mère était professeur mais je ne voudrais pas travailler dans une école.

....

....

....

....

....

....

[3 marks]

Score: [   ] /27

Section 10 — Current and Future Study and Employment

Literary Texts

1 Read this extract from *Le Tour de la France par deux enfants* by G. Bruno. Answer the questions in **English**.

> L'aîné des deux frères, André, qui avait quatorze ans, était un robuste garçon, si grand et si fort pour son âge qu'il semblait avoir au moins deux années de plus. Il tenait par la main son frère Julien, un joli enfant de sept ans [...].
>
> À leurs vêtements de **deuil**¹, à l'air de tristesse sur leur visage, on aurait pu deviner qu'ils étaient orphelins.
>
> Lorsqu'ils avaient quitté la ville, le grand frère a parlé à l'enfant [...] :
>
> — N'aie pas peur, mon petit Julien, dit-il ; personne ne nous a vus sortir.

¹**mourning**

1 a Why did André seem older than 14? Give **one** reason.

.... *[1 mark]*

1 b How could people guess that the brothers were orphans? Give **one** detail.

.... *[1 mark]*

1 c What did André say to reassure Julien after they had left town?

.... *[1 mark]*

2 Read this extract from *Boule de suif* by Guy de Maupassant. Answer the questions in **English**.

> Elle a sorti un vaste pot dans lequel deux poulets entiers, tout découpés, avaient confit sous leur gelée. Dans le panier, il y avait aussi des pâtés et des fruits. Les provisions étaient préparées pour un voyage de trois jours, afin de ne pas manger les repas des auberges.

2 a Which foods were packed for the journey? Write the correct letters in the boxes.

A	chicken	C	pâté
B	fruit jelly	D	aubergine

☐ ☐

[2 marks]

2 b Why were the provisions prepared for the journey?

.... *[1 mark]*

3 Complétez cet extrait d'*Anie* de Hector Malot avec les mots de la liste ci-dessous. Écrivez la bonne lettre dans chaque case.

Tous les exercices du corps il les │ D │ avec une supériorité qui lui avait fait

une célébrité ; **l'escrime**[1] et l'équitation aussi bien que la │   │ [...]

Il faisait à │   │ des marches de douze à quinze **lieues**[2] par jour pour son │   │ [...]

C'était la pratique constante de ces │   │ et l'entraînement régulier qu'ils demandent

qui lui avaient donné cette musculature athlétique.

---

[1] **fencing**

[2] **leagues** (a measure of distance — about 5.5 km)

A	plaisir
B	exercices
C	oublié
D	pratiquait
E	pied
F	tournois
G	boxe

[4 marks]

4 When listening to a French radio programme, you hear this extract from *Voyage au centre de la Terre* by Jules Verne. For each question, write the correct letter in the box.

4 a Where does the narrator say the church is situated?

A	between the lake and the town
B	on the lake shore
C	just outside the town centre

[1 mark]

4 b Which subject does the narrator say is taught at the school?

A	maths
B	science
C	languages

[1 mark]

4 c What does the narrator say about the lessons listed?

A	He will find the lessons easy.
B	He has no previous knowledge of them.
C	He doesn't want to do those lessons.

[1 mark]

Score: │   │ /**13**

Section 11 — Literary Texts

Nouns

1   Underline all of the nouns in the sentences below.

   a   Elle aime manger des carottes.

   b   Le professeur a une nouvelle voiture.

   c   On parle français au Canada.

   d   J'ai reçu un cadeau de Marcel.

   e   Les cochons nagent.

   f   C'est le sac de ma mère.

   g   Manon a acheté des pommes.

   h   La poste est fermée.

   i   Le film n'est pas amusant.

   j   Samantha habite près de mon frère.

2   Write either **m** or **f** after each noun to show whether it is masculine or feminine.

   a   chat ....

   b   verre ....

   c   thé ....

   d   salle ....

   e   table ....

   f   chaise ....

   g   minéral ....

   h   cahier ....

   i   village ....

   j   pays ....

   k   maison ....

   l   ville ....

   m   stylo ....

   n   papier ....

   o   chien ....

   p   café ....

3   Take each of these nouns and turn them into the plural. Not all of them need to change.

   a   nez ....

   b   cheval ....

   c   fils ....

   d   feu ....

   e   noix ....

   f   enfant ....

   g   journal ....

   h   homme ....

   i   château ....

   j   petit pois ....

   k   bijou ....

   l   travail ....

   m   bureau ....

   n   légume ....

   o   chapeau ....

4   Fill in the gaps in these sentences with the plural form of a word from the box. You can only use each word **once**.

   a   Ma mère ne me donne rien à manger sauf des ....

   b   Mes amis aiment faire du sport, mais je préfère jouer aux ....

   c   Je vais souvent au zoo car j'aime bien voir les ....

   d   Je rêve de me marier et avoir des ....

   e   Mes .... font toujours pipi dans le jardin de ma voisine.

| jeu |
| chien |
| enfant |
| chou |
| animal |

Articles

1 Circle the correct definite articles (**le**, **la**, **l'** or **les**) to complete the sentences below.

  a **Les** / **Le** filles aiment jouer au badminton.

  b Sébastien et Camille pensent que **le** / **la** parc est trop petit.

  c Fermez **la** / **les** porte, s'il vous plaît.

  d Nous avons trouvé tous **les** / **le** papiers sous **la** / **le** table de cuisine.

  e **Le** / **L'** hôtel est à côté de chez moi.

2 Fill in the gaps in these sentences using the correct indefinite article (**un** or **une**).

  a J'ai acheté .... stylo, ... gomme et .... calculatrice.

  b Ma grand-mère a .... sœur et .... frère.

  c Dans mon jardin il y a .... statue, ... petit pont et trois chaises.

3 Translate these sentences into **French**.

  a I'm going to the beach. ....

  b He comes from Italy. ....

  c She's going to the shops. ....

4 Fill in the gaps in these sentences using the correct partitive article from the box.

  a Sophia a .... oranges.

  b Je n'ai pas .... poires.

  c Ils ont gagné .... argent.

  d Elle prend .... soupe.

| de |
| du |
| de la |
| de l' |
| des |

  e Il mange beaucoup .... chips.

  f Richard n'a pas .... chaussettes.

  g Il me donne .... chocolat.

  h Je veux .... frites.

5 Translate these sentences into **French**.

Example: It's my mother's car. *C'est la voiture de ma mère.*

*This tests **à** and **de** with the definite article*

  a I'm going to Wales this year.

  ....

  b He comes from Morocco.

  ....

Adjectives

1 Underline all of the adjectives in the sentences below.

a L'examen était facile.

e Le film est triste.

b Tes amis sont amusants et gentils.

f Alice habite dans une grande maison.

c Thomas a un vieux chien.

g J'ai une bonne idée.

d C'est une belle femme.

h Le voyage sera long et ennuyeux.

2 Cross out the incorrect form of the adjectives in bold to complete these sentences.

a Alexandre a les yeux **bleu** / **bleus**.

b J'habite dans une maison **moderne** / **modernes**.

c La **premier** / **première** question est très **difficile** / **difficiles**.

d Susanna porte un chapeau **rouge** / **rouges** et des chaussures **orange** / **oranges**.

e Mes frères sont assez **sportifs** / **sportives**.

f Le cochon d'Inde est **heureux** / **heureuse** et **mignon** / **mignonne**.

3 Fill in the gaps in these sentences using the correct form of the adjectives in bold.

a Elle porte une robe .... **blanc**

b En France, il y a beaucoup de gens .... **étranger**

c Florence et Charlotte sont les .... à arriver. **dernier**

d Cette chemise est trop .... **cher**

e Mes chaussettes sont .... **sec**

4 Using the word **vert** with the correct endings, translate these phrases into **French**.

a the green mountain

....

d the green apples

....

b the green coat

....

e the green man

....

c the green eyes

....

f the green grass

....

5 | Fill in the gaps with the correct form of the adjective chosen from the four options in **bold**.

a   Ces rues sont très ....   **long, longues, longue, longs**

b   Clara a une .... souris.   **nouvelles, nouvelle, nouveaux, nouvel**

c   Je dors pendant .... la journée.   **tout, tous, toute, toutes**

d   Ton professeur est ....   **rigolote, rigolotes, rigolos, rigolo**

6 | Translate the sentences below into **French**. The adjectives you should use are in **bold**, but you'll need to change them into the correct form.

a   My parents are crazy.   **fou**

....

b   The countryside is beautiful.   **beau**

....

c   The ladies are old.   **vieil**

....

7 | Add the adjective in **bold** to the correct gap in the sentences.

a   J'ai une .... chemise ....   **bleue**

b   Nous sommes au .... étage ....   **premier**

c   Loïc habite dans un .... appartement ....   **petit**

d   Il chante des .... chansons ....   **étrangères**

e   C'est une .... peinture ....   **bonne**

8 | Rearrange these sentences so that the words are in the correct order.

a   grande j'ai voiture une. ....

b   un c'est noir chat petit. ....

c   émission la meilleure c'est. ....

d   elles chien ont un vieux. ....

e   un il a intéressant travail. ....

9 Complete the table of possessive adjectives below.

	My	Your (inf., sing.)	His / her / its	Our	Your (formal, pl.)	Their
Masculine singular		ton			votre	
Feminine singular			sa	notre		
Plural	mes					leurs

10 Fill in the gaps in the French sentences with the correct possessive adjectives to match the English sentences.

a .... vélo est rouge.   *My bicycle is red.*

b Est-ce que .... manteau est bleu?   *Is your coat blue? (informal)*

c .... mère habite en Irlande.   *His mother lives in Ireland.*

d Avez-vous parlé à .... grand-mère?   *Did you speak to your grandmother?*

e Ils n'ont pas fait .... devoirs.   *They haven't done their homework.*

f Est-ce que tu as vu .... argent?   *Have you seen her money?*

11 Rewrite each of these sentences, replacing the English word in brackets with the correct form of either **chaque** or **quelque**.

a Je joue au rugby (**each**) weekend. ....

b Eric a acheté (**some**) légumes. ....

c (**Each**) élève doit faire ses devoirs. ....

d Il a trouvé (**some**) livres intéressants. ....

12 Cross out the incorrect demonstrative adjective in bold to complete these sentences.

a Je pense que **ce / cette** travail est un peu ennuyeux.

b **Cet / Ce** hôpital est merveilleux.

c Je ne me souviens pas de **ce / cet** film.

d **Ces / Cette** animaux sont malheureux.

e Les hommes vont aux États-Unis **cet / cette** année.

Adverbs

1 Underline the adverb in each of these sentences, and then translate the adverb into **English**.

Example: Il marche <u>lentement</u> au collège. ....*slowly*..........

   a Ma sœur a totalement oublié de te téléphoner! ....

   b Christophe est vraiment sympa! ....

   c Ils ont fréquemment raté le train. ....

   d Parle plus doucement, le bébé dort! ....

   e Il n'est simplement jamais arrivé. ....

2 Fill in the gaps in these sentences using a suitable adverb from the box. You can only use each adverb once.

   a Il marche très ....

   b Ton cadeau m'a fait .... plaisir!

   c ...., nous sommes allés au Luxembourg.

   d ...., je me réveille à huit heures.

   e Cette pièce de théâtre est .... étrange.

> énormément
> vraiment
> vite
> récemment
> normalement

3 Turn each of these adjectives into adverbs.

   a facile ....   **g** stupide ....

   b évident ....   **h** incroyable ....

   c clair ....   **i** heureux ....

   d calme ....   **j** complet ....

   e précis ....   **k** deuxième ....

   f gentil ....   **l** honnête ....

4 Translate these sentences into **French**, using the adverb formed from the adjective in brackets.

   a He swims well. (bon) ....

   b Eleanor sings badly. (mauvais) ....

5 Choose the French adverb from the box that matches the English adverb in **bold** to complete each sentence.

a ...., nous sommes montées dans la tour. **yesterday**

b Je vais .... au cinéma. **often**

c ...., il se douche à six heures. **normally**

d Ils vont voyager .... **tomorrow**

e Ton cadeau est .... arrivé. **already**

souvent
déjà
hier
demain
normalement

6 Translate each of these adverbial phrases into **English**.

a en général .... e de temps en temps ....

b tout à fait .... f l'année prochaine ....

c en retard .... g la semaine dernière ....

d en tout cas .... h en même temps ....

7 Use a French adverb to fill the gap in each of these sentences and match the English translation.

a Je l'ai vu .... *I saw it over there.*

b Elle a perdu son portable .... *She has lost her mobile phone somewhere.*

c Mon père a ses papiers .... *My dad has his papers everywhere.*

d L'aéroport est assez .... de la ville. *The airport is quite far from the town.*

e Venez ...., s'il vous plaît. *Come here, please.*

8 Translate the sentences below into **French**.

a André reads the newspaper every day.

....

b Sometimes, you can hear the sea.

....

c My sister travels everywhere.

....

Section 12 — Grammar

Comparatives and Superlatives

1 Complete these comparative sentences. Remember to add any necessary agreements.

Example: Jean est **grand**, mais Chantelle est ....*plus grande que Jean.*............................. .

a Sofia est **gentille**, mais Amir est ....

b Le roman est **intéressant**, mais les films sont ....

c Marie est **forte** mais Rose est ....

2 Complete the table below using Arnaud's description of his family.
Some of the answers have been filled in already.

J'ai un frère qui s'appelle David, et une sœur qui s'appelle Julia. Je suis assez intelligent, mais David est plus intelligent que moi, et Julia est encore plus intelligente que David. David n'est pas aussi rigolo que Julia, et je suis le moins amusant. David est plus grand que moi, et Julia est plus petite que moi. Julia est la plus sportive, et David est le moins sportif. David est plus gentil que Julia et je suis plus méchant que Julia.

	Least	Middle	Most
intelligent	Arnaud		
funny		David	
tall	Julia		
sporty			Julia
kind			

3 Translate these sentences into **French** using **le plus**, **la plus** or **les plus**.

a This festival is the most exciting ....

b I am strange, but he is the strangest ....

c These trees are the greenest. ....

4 Use phrases from the box to fill in the gaps. Use each phrase **once**.

a Les tartes aux fruits sont ....

b Le foot est .... le rugby.

c Les gâteaux verts sont ....

d Cette année a été .... l'année dernière.

pire que
meilleure que
les meilleures
les pires

5 Turn the adverbs below into comparatives and superlatives.

Adverb	Comparative	Superlative
bien		
mal		
beaucoup		
peu		

6 Underline the comparatives and translate them into **English**. The first one has been done as an example.

Example: Michelle dort <u>plus que</u> Ahmed.   *more than*

a   Pierre court aussi vite que Nadim.   ....

b   Tu joues au tennis moins souvent que Fred.   ....

c   Sam mange autant que Laura.   ....

7 Use the correct form of **bien**, **mal**, **peu** and **beaucoup** to fill in the gaps.

Example: Julian joue du banjo ....*mieux*....... que Claude.   **bien**

a   Ayesha nage le .... dans la mer.   **mal**

b   Matthieu cuisine .... à la maison que Charles.   **beaucoup**

c   Lucie écrit le .... au collège.   **peu**

8 Translate these sentences into **French**.

a   Zanna writes as much as Étienne.

....

b   The black dog is the oldest.

....

c   Chocolate cakes are the best.

....

d   I play tennis better than my sister.

....

Section 12 — Grammar

Quantifiers and Intensifiers

1   Write the French intensifier that matches the English word in **bold** to complete each sentence.

très
peu
trop
assez

   a   Je trouve que l'histoire est .... intéressante.   **not very**

   b   Ton chien est .... petit.   **quite**

   c   Le film était .... violent.   **too**

   d   Le dimanche matin, le centre-ville est .... tranquille.   **very**

2   Translate these sentences into **French**.

   a   The sea was incredibly cold.

      ....

   b   My pig is unusually pink.

      ....

   c   Farouk's cat is enormously fat.

      ....

3   Translate these quantifiers into **English**.

   a   un peu de   ....   **d**   peu de   ....

   b   assez de   ....   **e**   beaucoup de   ....

   c   trop de   ....

4   Fill in the gaps in these sentences using **b-e** from **Q3**. Use the clues to help you.

   a   Elles ont .... poissons.   **they don't need any more**

   b   Elle a .... argent.   **more than she needs**

   c   Mon ami a .... serpents.   **more than a few**

   d   Le magicien a eu .... succès.   **not much**

Pronouns

1 Fill in the gaps in the second sentences with the right pronoun.

Example: Sabrina est professeur. ....Elle........ va chaque jour au collège.

a Ma souris est malade. .... ne mange rien.

b Leur père est infirmier. .... travaille dans un hôpital.

c Mes sœurs sont jumelles. .... ont toutes les deux 15 ans.

d Ses parents sont en vacances. .... rentrent à la maison la semaine prochaine.

2 Fill in the gaps with the correct indirect object pronoun from the box. Use the English translation to help you.

	je	tu	il / elle	nous	vous	ils / elles
indirect object pronouns	me	te	lui	nous	vous	leur

*You might have to shorten **me** to **m'** and **te** to **t'***

a Nous .... avons offert du jambon. *We have given them some ham.*

b Je .... ai donné mon numéro. *I have given her my number.*

c Il .... a apporté ton cahier. *He brought me your exercise book.*

d Je .... ai déjà parlé. *I have spoken to you already. (informal singular)*

e Nous .... avons tout expliqué. *We explained everything to you. (plural)*

f Elle .... a acheté un cadeau. *She has bought us a present.*

3 Rearrange the French words to make a complete sentence. Make sure all the pronouns are in the correct order. Use the table below to help you.

1	2	3	4	5	6
me te nous vous	le la les	lui leur	y	en	(verb)

a le Nous pouvons leur donner. ....

b attend. t' Mon y père ....

c la offerte. lui avais Je ....

d en Vous achetez. lui ....

e Elle y rencontre. les ....

4 Each of these sentences is missing a pronoun.
Choose **y** or **en** to fill in the gaps.

a On .... va s'il fait beau.

b Elle .... va tout à l'heure.

c Est-ce que tu peux m' .... acheter.

d Je n' .... vais pas à cause des monstres.

e Les vacances, parlons-................... .

f Je n' .... ai plus.

g Tu .... es déjà allée?

h On ne s' .... sortira jamais!

5 Translate these indefinite pronouns into **French**.

a something ....

b everything ....

c someone ....

d each one ....

e everyone ....

f several ....

6 Fill in the gaps in these sentences with the correct emphatic pronoun.
Use the clues in brackets to help you.

a Je ne sais pas .... -même . (**myself**)

b Il est sorti avec .... (**Claudette**)

c Aidez-............................... à faire nos devoirs. (**us**)

d Elles ont écrit la chanson pour .... (**Guillaume**)

7 Translate these sentences into **English**.

a Je pense qu'il y en a dans la cuisine.

....

b Tout le monde y va quand il fait beau.

....

c Il voulait vendre tous ses livres, mais il en reste plusieurs.

....

d As-tu décidé d'y aller cette année?

....

Relative and Interrogative Pronouns

1　Fill in the gaps in these sentences with **qui**, **que** or **qu'**.

Example:　Le chien ....*qui*........ mangeait mes chaussettes.

a　Le garçon .... porte des chaussures rouges est très bizarre.

b　Le lapin .... tu as tué était délicieux.

c　C'est un homme .... aime le poulet.

d　Le touriste .... ils ont vu était violet.

e　Les sandales .... il porte avec des chaussettes sont laides.

f　Le gendarme .... a volé ma voiture était vieux.

2　Translate these questions into **French** using the interrogative pronouns **qui**, **que** and **quoi**.

a　What is Charlie talking about? ....

b　Who has eaten the apples? ....

c　What do you do at the weekend? ....

d　Who can help me with this exercise? ....

3　Each of these sentences has the relative pronoun **dont** in it. Translate them into **English**.

a　J'ai vu les enfants horribles dont on a parlé.

....

b　La maladie dont elle souffre lui donne un nez vert.

....

c　Le fermier a une poule dont les œufs sont parfaits.

....

d　Il avait trois gâteaux dont deux étaient pleins de fruits.

....

Possessive and Demonstrative Pronouns

1 Each of these sentences ends with a possessive pronoun.
Correct all the incorrect pronouns.

Some of the pronouns are already correct.

a Donnez-nous le mouton d'or — c'est la nôtre. ....

b Passe-moi le stylo — c'est les miens. ....

c Cette carotte longue est à Anaïs — c'est la sienne. ....

d Prenez cet enfant — c'est la vôtre. ....

e Veux-tu ces gâteaux? Ce sont les tiens. ....

2 Translate each of these sentences into **English**.

a Ça ne m'intéresse pas beaucoup.

....

b Cela me fait pleurer.

....

c Nous allons nous organiser comme ceci.

....

3 Fill in the gaps in these sentences using the pronouns in the box.
You'll need to use **ci** and **là** in some sentences.

	Masculine	Feminine
Singular	celui	celle
Plural	ceux	celles

Example: J'ai deux chiens. Celui-ci est mignon, mais ....*celui-là*........ est méchant.

a Donne-moi un stylo. Pas celui-là, ... , devant moi.

b Voici des cahiers. .... ne sont pas très beaux, mais ceux-là sont tout neufs!

c Voici les robes. Celle-ci est à ma soeur, mais .... est à moi!

d Regarde ces fleurs! .... sont très belles, mais celles-là sont encore plus jolies!

e Tu as des feutres? .... ne marchent pas, et ceux-là sont à Marc.

Conjunctions

1 Translate these conjunctions into English.

a et .... f car .... k comme ....

b si .... g ou .... l pendant que ....

c mais .... h quand .... m parce que ....

d après que .... i puis .... n ni...ni... ....

e depuis que .... j ou bien .... o lorsque ....

2 Fill in the gaps with the correct conjunction chosen from the three options in **bold**.

a Je veux me promener, ... il pleut. **ou, puis, mais**

b Il est resté à la maison .... il faisait mauvais. **ou bien, et, pendant que**

c Je ne peux pas sortir .... je suis malade. **ou, mais, parce que**

d Sylvie parle .... ma sœur. **lorsque, comme, mais**

e Tu peux venir ce soir, ... tu veux. **si, et, pendant que**

f Je bois du chocolat chaud .... il fait froid. **quand, puis, ou**

g J'aime mon frère .... il est très sympa. **mais, parce que, ou bien**

h Nous allons à l'école, ... nous nous amusons. **puis, si, lorsque**

3 These sentences contain the wrong conjunctions. Rewrite them using a more sensible alternative from the box. Use each conjunction **once**.

comme, puis, si, et, mais

a Je voudrais une pomme <u>car</u> une poire. ....

b C'est mon anniversaire <u>lorsque</u> je ne sors pas. ....

c <u>Ou</u> tu manges le champignon, je te tuerai. ....

d Je me douche, <u>quand</u> je m'habille. ....

e <u>Ou bien</u> j'étais en retard, j'ai manqué le bus. ....

Prepositions

1   Choose the correct form of **à** or **de** from the box to complete the sentences.

a   Je viens .... France.

b   Je vais donner des bonbons .... enfants.

c   On peut changer de l'argent .... banque.

d   Pierre joue .... piano.

e   Ce livre est .... Michel; l'autre est .... moi.

f   Je m'intéresse .... tennis de table.

g   Le train part .... quai numéro trois.

h   Luc joue .... guitare.

i   Je l'ai vu .... télévision.

j   C'est la voiture .... ma mère.

| à |
| au |
| à la |
| aux |
| de |
| d' |
| du |
| de la |
| des |

2   Fill in the gaps with the correct preposition from the box.

a   J'habite .... Marseille.

b   Je voudrais aller .... Afrique.

c   Ma veste est .... cuir.

d   Les chaussures sont .... la boîte.

e   Il va .... Paris ce week-end.

f   Il est .... États-Unis en ce moment.

g   La voiture est .... le garage.

h   Je vais .... Pays-Bas.

i   .... le futur, j'aimerais faire le tour du monde.

j   On parle français et allemand .... Suisse.

| à |
| aux |
| dans |
| en |

3   Translate these sentences into **English**.

a   Je serai à l'étranger pour un mois.

....

b   J'apprends le français depuis quatre ans.

....

c   J'ai voyagé en France pendant six semaines.

....

4   Choose the French word from the box to replace the English prepositions underlined below.

a   The dog is <u>under</u> the table. ....

b   Your bag is <u>on</u> the chair. ....

c   I left the house <u>without</u> my coat. ....

d   I'm going swimming <u>after</u> school. ....

e   I had lunch <u>at</u> Juliette's. ....

f   We will leave at <u>around</u> midday. ....

g   I went to the cinema <u>with</u> my friends. ....

h   I arrived <u>before</u> you. ....

chez
avant
sous
après
avec
vers
sans
sur

5   Translate these sentences into French using the prepositions in **bold**.

Don't forget that 'de + le' becomes 'du'.

a   The school is opposite the swimming pool.   **en face de**

....

b   I stayed at home because of the rain.   **à cause de**

....

c   There is a supermarket next to the park.   **à côté de**

....

d   Aix-en-Provence is near Marseilles.   **près de**

....

Present Tense

1   Underline the verb in each sentence.

a   Je vais en Italie la semaine prochaine.

b   J'aime les haricots verts et les chats noirs.

c   C'est encore une journée de pluie.

d   Tu vois ta tante folle le dimanche.

e   Je préfère les chaussures en cuir rouge.

f   J'ai deux petits frères et six grandes araignées.

g   Vous faites mes devoirs.

h   Le mercredi, il mange seulement du fromage.

i   Nous détestons le sport et le français.

j   Il y a des élèves très moches dans ma classe

2   Write out the correct form of each verb in the present tense, matching the person given.

a   manger — il   ....

b   donner — nous   ....

c   acheter — vous   ....

d   finir — je   ....

e   choisir — ils   ....

f   partager — vous   ....

g   punir — elles   ....

h   agir — tu   ....

i   battre — on   ....

j   attendre — vous   ....

k   mordre — elle   ....

l   vendre — je   ....

3   Complete the sentences by adding the correct verb endings in the present tense.

a   Il rest...... à la maison. Il regard...... le match de rugby à la télé.

b   Nous habit...... au troisième étage. Tu mont...... par l'escalier ou par l'ascenseur.

c   Je mang...... des sandwichs tous les jours à midi. Mes amis mang...... à la cantine.

d   Vous parl...... à votre amie au téléphone. Elle te donn...... de ses nouvelles.

4   Translate the sentences into **French**.

a   We're eating chicken.   ....

b   We're playing football.   ....

c   They swim every day.   ....

d   They're hiding in the trees.   ....

e   I'm stealing Robert's exercise book.   ....

f   School finishes at 4 pm.   ....

5   Write in the present tense forms of the verb **être** — to be.

a   je   ....   **d**   nous   ....

b   tu   ....   **e**   vous   ....

c   il / elle / on   ....   **f**   ils / elles   ....

6   Write in the present tense forms of the verb **avoir** — to have.

a   je   ....   **d**   nous   ....

b   tu   ....   **e**   vous   ....

c   il / elle / on   ....   **f**   ils / elles   ....

7   Write in the present tense forms of the verbs below. Some are irregular.

a   je .... **faire**   **f**   il / elle / on .... **faire**

b   tu .... **aller**   **g**   nous .... **aller**

c   il / elle / on .... **vouloir**   **h**   vous .... **vouloir**

d   nous .... **devoir**   **i**   ils / elles .... **devoir**

e   vous .... **faire**   **j**   je .... **aller**

8   Fill in the gaps with the right form of the verb in **bold**.

a   Il .... du thé.   **boire**

b   Ils .... toujours ça.   **dire**

c   Je .... un journal.   **lire**

d   ....-vous parler français?   **savoir**

e   Elles .... beaucoup de photos.   **prendre**

f   Vous .... la porte.   **ouvrir**

g   ....-tu venir avec moi au cinéma?   **vouloir**

h   Elle .... faire ses devoirs.   **devoir**

i   Nous .... faire une promenade s'il fait beau.   **pouvoir**

9 Translate these sentences into **French** using the verbs from the box.

| arriver à |
| commencer à |
| apprendre à |

a I'm learning to play the guitar.

....

b It is starting to rain.

....

c I always manage to do my homework.

....

10 Rearrange the statements to form questions.

Example: Elle mange de la viande. ......*Mange-t-elle de la viande?*..........................

a Tu vas en ville ce matin. ....

b Il aime le chocolat. ....

c Vous savez parler chinois. ....

d Elle a un petit ami. ....

e Nous devons partir bientôt. ....

11 In the conversation below, put the verbs in **bold** in the correct form.

Nicolas: Je .... (**devoir**) .... (**faire**) la vaisselle?

Mais je .... (**vouloir**) commencer mes devoirs.

Maman: Tu .... (**devoir**) faire ce que je dis.

Nicolas: Mais ce n'........................... (**être**) pas juste, maman.

Chantal ne .... (**faire**) jamais la vaisselle.

Chantal: Tu .... (**être**) menteur, Nicolas.

J'........................... (**aider**) beaucoup à la maison.

Maman: J'en .... (**avoir**) assez maintenant.

Vous .... (**aller**) .... (**faire**) la vaisselle

tous les deux, ensemble.

Perfect Tense

1   Write in the past participles of these regular verbs.

a   acheter ....

b   danser ....

c   rendre ....

d   cacher ....

e   manger ....

f   perdre ....

g   mordre ....

h   bavarder ....

i   finir ....

j   jouer ....

k   vendre ....

l   choisir ....

2   Complete these sentences by adding the correct form of **avoir**.

Example: J' *ai* .... oublié mes lunettes de soleil.

a   Ma belle-mère m' .... offert de beaux cadeaux de Noël.

b   Nous .... fêté l'anniversaire de mon père.

c   Tu .... porté une chemise très laide.

d   Mes cousins .... mangé des crêpes.

e   Vous .... trouvé un métier intéressant.

3   Translate these sentences into **French** using the verbs in the box.

jouer	mordre
acheter	perdre

a   I have bought a new bike.

....

b   The dog bit my finger.

....

c   Have you *(informal singular)* lost your bag?

....

d   We played tennis yesterday.

....

4   Fill in the gaps with the perfect tense of the irregular verb in **bold**.

Example: Il __a lu__ le nouveau roman de son écrivain préféré.   **lire**

a   Tu .... la tasse sur la table.   **mettre**

b   Nous .... le train pour Nice.   **prendre**

c   Les parents .... une carte postale à leurs enfants.   **écrire**

d   Vous .... en France.   **vivre**

5   Add the agreements to the past participles of the **être** verbs below.

Example: Vous (*masc. plural*) êtes né __s__ pendant que votre père regardait le football.

a   Elle est parti....... quand elle a entendu la voix de son copain.

b   Elles sont entré....... dans une pièce qui était pleine de poissons morts.

c   Il est venu....... me voir samedi après-midi.

d   Tu (*masc.*) es sorti....... avec Alice.

> Sometimes you won't need to add anything.

6   Fill in the perfect tense forms of the verbs in **bold**. They all take **être**.

Example: Elles __sont arrivées__ à la gare.   **arriver**

a   Mon petit frère .... de la planète Mars.   **tomber**

b   Nous (*fem.*) .... dans la salle de classe.   **entrer**

c   Ils .... ici pendant le match de football.   **rester**

d   Je (*fem.*) .... au collège début septembre.   **rentrer**

7   Translate these sentences into **French**.

a   My sister stayed at home yesterday evening.

   ....

b   The work has become very difficult.

   ....

c   You (*polite singular fem.*) left very early.

   ....

Imperfect Tense

1   Write in the correct form of **faire** in the imperfect tense.

a   Nous .... beaucoup de devoirs tous les jours.

b   Il .... mauvais pendant mes vacances.

c   Les moutons .... du bruit au centre-ville.

d   Tu .... les plus beaux gâteaux que j'ai jamais vus.

e   Je .... la vaisselle avec mes doigts de pied.

f   Qu'est-ce qu'elle .... hier soir?

g   Vous me .... de beaux cadeaux.

2   Write in the correct form of **avoir** in the imperfect tense.

a   Nous .... beaucoup de temps.

b   On .... toujours quelque chose à faire.

c   Vous .... mon adresse.

d   J'............................... un melon et une courgette.

e   Ils .... des problèmes.

f   Tu .... la grippe.

g   Il y .... beaucoup à faire à Londres.

3   Write in the correct form of **être** in the imperfect tense.

a   Tu .... très content de recevoir le paquet.

b   Nous .... bronzées après nos vacances.

c   Ils .... toujours en retard.

d   On .... heureux si on n'avait pas de devoirs.

e   Vous .... les premiers à le faire.

f   J'............................... très jeune.

g   Le film .... amusant.

4   Translate these sentences into **English**. Write them all as 'was / were ...ing'.

  a   Je regardais la télévision. ....

  b   Elle dansait dans la salle à manger. ....

  c   Nous attendions le facteur. ....

  d   Ils faisaient beaucoup de bruit. ....

5   Translate these sentences into **English**. Write them all as 'used to ...'.

  a   Je jouais du piano. ....

  b   On allait au parc tous les jours. ....

  c   Nous regardions les actualités. ....

  d   Tu croyais au père Noël. ....

  e   Vous achetiez le journal. ....

6   Each of these sentences contains two verbs. Rewrite them in the past by turning one verb into the perfect tense and the other into the imperfect.

  a   Claudine va dehors sans parapluie et après, elle est mouillée.

  ....

  b   Je mange du pain parce que j'ai faim.

  ....

  c   Ils nagent pendant qu'il fait chaud.

  ....

7   Translate these sentences into **English**.

  a   J'attendais depuis deux heures quand ils sont venus me chercher.

  ....

  b   Nous dansions depuis un quart d'heure quand le prof est arrivé.

  ....

Future Tense

1 Give the immediate future tense forms of these verbs, matching the person given.

Example: choisir — je *je vais choisir* ....

The immediate future is formed with the present tense of 'aller' + an infinitive.

a manger — tu ....

b finir — nous ....

c commencer — ils ....

d prendre — vous ....

e aller — elles ....

2 Give the future tense forms of these verbs.

Example: arriver — vous *vous arriverez* ....

a sauter — je ....

b vendre — elles ....

c danser — on ....

d jouer — nous ....

e finir — tu ....

3 Write in the future tense forms of the verbs in **bold**.

Example: Demain, nous *achèterons* .... une voiture. **buy**

a Il .... tous les gâteaux. **eat**

b Je te .... toutes les informations. **give**

c Elles .... pendant dix heures. **sleep**

d Tu .... les lettres. **forget**

e Vous .... s'il est permis d'amener les chiens. **ask**

f Je .... par raconter une histoire amusante. **finish**

g Ils .... un article pour le magazine. **write**

h On .... un bruit très fort. **hear**

Reflexive Verbs and Pronouns

1   Fill in the reflexive pronoun for each person.

a   je .... lave

d   nous .... lavons

b   tu .... laves

e   vous .... lavez

c   il / elle .... lave

f   ils / elles .... lavent

2   Choose the right verb from the box, then use the right form of the verb to fill in the gap.

Example: Je _m'excuse_ — j'ai cassé votre vase.

a   Nous .... toujours avec du savon particulier.

b   Vous .... quand vous jouez au football?

c   Les appartements .... de l'autre côté du supermarché.

d   J'ai laissé ma sœur à la maison, parce qu'elle .... mal.

e   Mes deux petits frères ne .... jamais de bonne heure.

se sentir
s'amuser
se laver
se coucher
se trouver
~~s'excuser~~

3   Add any missing agreements to these reflexive verbs in the perfect tense.

a   Ce matin, elle s'est levé.............. à huit heures.

b   Les élèves *(masc.)* se sont excusé.............. après le cours.

c   Il s'est lavé.............. trois fois avant son rendez-vous avec la princesse.

d   Elles se sont amusé.............. au marché de Noël.

4   Rearrange the words to form sentences in the future tense.

Example: trouverai je me Paris à   _Je me trouverai à Paris._

a   vais je coucher me plus tôt ....

b   sentirez vous mal vous ....

c   à la politique nous intéresser allons nous ....

d   fils mon appellera Marc s' ....

Negative Forms

1 Make these sentences negative by adding **ne...pas** or **n'...pas**.

Example: J'aime les chiens _Je n'aime pas les chiens._

a Je mange la banane. ....

b Nous lavons nos vêtements. ....

c C'est loin d'ici. ....

d Il lit des livres. ....

e C'est la même chose. ....

f J'ai des pommes. ....

2 Make these perfect tense sentences negative, using the words in brackets.

a Il est allé au supermarché. (pas) ....

b Mon frère a joué. (pas) ....

c Je suis allée au collège. (jamais) ....

d Tout le monde a mangé du gâteau. (personne) ....

e Tu as fait beaucoup aujourd'hui. (rien) ....

3 Translate these sentences into **French**.
Use either the immediate future or the future tense as appropriate.

a I am not going to go to school next week.

....

b She will never play tennis.

....

c I'm not going to eat meat any more.

....

d He will be neither handsome nor tall.

....

Conditional

1 Complete the sentences with the correct conditional form of **vouloir**.

a Je .... un café, s'il vous plaît.

b Nous .... nous asseoir à l'extérieur.

c Elle .... rentrer à la maison.

d Ils .... voir le match.

e Est-ce que tu .... du thé ou du café?

f ....-vous venir avec nous?

2 Put the verbs in **bold** into the correct conditional form.

a Je .... rester à la maison.   **préférer**

b Il .... manger le gâteau entier.   **aimer**

c Nous .... voir un match de football.   **détester**

d Je .... au hockey, si je n'avais pas mal à la jambe.   **jouer**

e Ils ont dit qu'ils .... le train cet après-midi.   **prendre**

f Je savais que vous .... ce film.   **aimer**

g Ils .... toute la nuit.   **danser**

3 Translate the sentences into **French**.

a I'd go to the cinema, but I don't have enough money.

....

b I'd do my homework if I had more time.

....

c You *(informal singular)* should arrive at 11 o'clock.

....—...

d We would like to help.

....—...

Imperative

1   Put the missing verb into the French sentences. They all need to be in the imperative form.

a   .... tes devoirs! — *Finish your homework!*

b   .... à la patinoire! — *Let's go to the ice rink!*

c   Francine et Agnès, ... avec nous! — *Francine and Agnès, come with us!*

d   .... tes légumes! — *Eat your vegetables!*

e   .... du gâteau! — *Let's have some cake!*

f   .... encore une fois! — *Try once more! (to a friend)*

g   .... raisonnable! — *Be reasonable! (to a friend)*

h   .... gentils! — *Be nice! (to a group of children)*

2   Change these French sentences into commands.

Example: Tu me prêtes ton stylo   *Prête-moi ton stylo!* ....

a   Tu t'assieds. ....

b   Vous vous asseyez. ....

c   Nous nous levons. ....

d   Tu te couches. ....

e   Nous nous amusons. ....

f   Vous vous taisez. ....

3   Make these commands negative.

Example: Levez-vous!   *Ne vous levez pas!* ....

a   Asseyez-vous! ....

b   Couche-toi! ....

c   Sors! ....

d   Allons à la piscine! ....

e   Lève-toi! ....

Pluperfect, Present Participle & Perfect Infinitive

1   Write out the pluperfect forms of the infinitives below, matching the person given.

Example: décrire — il   *il avait décrit* ....

a   faire — vous ....

b   manger — je ....

c   aller — nous ....

d   partir — elles ....

e   vivre — il ....

f   dire — ils ....

g   manquer — tu ....

h   aimer — elle ....

2   Turn the infinitives below into present participles.

Example: Vouloir   *voulant* ....

a   donner ....

b   acheter ....

c   finir ....

d   rendre ....

e   choisir ....

f   perdre ....

g   faire ....

h   aller ....

i   dire ....

3   Complete the sentences by changing the infinitives into present participles.

a   J'ai joué du piano en ....   **parler**

b   Il lui donne le bâton en ....   **courir**

c   Nous avons expliqué la situation en ....   **pleurer**

d   Elle est entrée en ....   **rire**

e   Il a attrapé le ballon en ....   **tomber**

4   Translate these sentences into **French,** using the perfect infinitive.

a   After having made the cake, I ate it.

....

b   After having left, he came back.

....

Passive, Impersonal Verbs & Subjunctive

1   Translate the underlined words into **English**.

a   <u>Elle est renversée</u> par l'escargot. ....

b   <u>Je suis regardé</u> par tout le monde au théâtre. ....

c   <u>Louis et Carlo étaient punis</u> par leur prof. ....

d   <u>Vous avez été trouvés</u> par les pompiers. ....

e   <u>Elles seront blessées</u> si elles ne font pas attention. ....

2   Match up the French sentences with the English translations.

a   Il faut chanter très vite. ....   **1.**   It's snowing today.

b   Il est nécessaire de manger. ....   **2.**   It is difficult to say.

c   Il neige aujourd'hui. ....   **3.**   It is important to wear clothes.

d   Il est normal de croire cela. ....   **4.**   It seems normal to me to leave.

e   Il est difficile de dire. ....   **5.**   It is necessary to sing very quickly.

f   Il me semble normal de partir. ....   **6.**   It's about a man and a cat.

g   Il est important de porter des vêtements. ....   **7.**   It is strange to see these things.

h   Il est étrange de voir ces choses. .... **8.**   It is normal to believe that.

i   Il s'agit d'un homme et d'un chat. .... **9.**   It is necessary to eat.

3   Translate the sentences into **English**.

a   Il faut que tu viennes — tout le monde sera là!

   ....

b   Il semble qu'ils aient une maladie grave.

   ....

c   Je veux qu'il me dise toute l'histoire.

   ....

d   Il est possible que nous y allions ce soir.

   ....

Asking Questions

1   Complete these sentences using the correct form of **quel**.

Example: ....Quelle.......... est ta matière préférée?

a   .... filles vont aller à la fête?

b   À .... heure commence le concert?

c   La robe est de .... couleur?

d   .... étudiant a eu les meilleures notes?

e   .... livres avez-vous lu récemment?

f   Vous parlez de .... village?

g   .... fleurs préfères-tu — les jaunes ou les rouges?

h   .... sont les avantages de ce plan?

2   Choose the correct interrogative from the list to start the sentences. Use each word **once**.

a   .... est-ce que le film commence?

b   .... sont mes chaussettes?

c   .... peut me donner un stylo?

d   .... peux-tu faire ça?

e   .... d'oignons peut-on porter sur la tête?

f   .... veux-tu faire ce soir?

g   .... es-tu en retard?

| combien |
| qui |
| que |
| quand |
| où |
| pourquoi |
| comment |

3   Choose between either **Qu'est-ce que** or **Est-ce que** to start these questions correctly.

a   .... vous allez faire si nous ne le trouvons pas?

b   .... tu le feras avant de partir en vacances?

c   .... il préfère la robe rouge ou la jupe rose?

d   .... nous pouvons manger seulement du chocolat?

e   .... elles vont faire pour fêter le mariage de leurs amis?

Answers

The answers to the translation questions are sample answers only, just to give you an idea of one way to translate them. There may be different ways to translate these passages that are also correct.

Section 1 — General Stuff

Page 1: Numbers

1 a) 73   d) 14
   b) 20   e) 47
   c) 17   f) 16

2 a) soixante-quinze
   b) deux cents
   c) trois cent vingt

3 a) 2   d) 5
   b) about 10   e) about 20
   c) €256

Pages 2-3: Times and Dates

1 a) dix heures (du matin)
   b) une heure et demie (de l'après-midi) / treize heures trente
   c) deux heures et quart (de l'après-midi) / quatorze heures quinze
   d) seize heures quarante-quatre

2 a) 8:15 am / 08:15   d) 7 pm / 19:00
   b) 6 pm / 18:00   e) 9:30 pm / 21:30
   c) 6:30 pm / 18:30

3 a) spring   c) August
   b) 1st April   d) winter

4 a) le mardi soir, à sept heures
   b) un concours
   c) le lundi soir et le samedi matin
   d) la semaine prochaine

5 Le lundi, je vois mes ami(e)s. La semaine dernière, nous avons regardé un film d'action. Ce week-end, je vais faire les magasins avec mes cousin(e)s.

Pages 4-5: Opinions

1 Sabine: fashion magazines, she likes clothes
   Lucas: novels, he likes stories

2 a) true   d) false
   b) false   e) true
   c) false   f) false

3 a) Non, parce que les acteurs sont souvent mauvais.
   b) Two from: Tous les acteurs sont doués. / Le film est dramatique. / Il y a plein de surprises. / On ne s'ennuie jamais.

4 Mon sport préféré, c'est le rugby parce que c'est très passionnant. Je joue au rugby depuis sept ans. Le week-end, j'aime regarder le sport à la télévision avec mes amis, mais je ne m'intéresse pas au football. Je pense que les joueurs sont arrogants. Dans le futur / À l'avenir, je voudrais être prof.

Section 2 — Me, My Family and Friends

Pages 6-7: About Yourself

1 a) B & C   b) A & D

2 a) Barteau   b) Clément   c) Garnier

3 a) Two from: Elle est assez grande. / Elle a les cheveux blonds et courts. / Elle a les yeux verts. / Elle est sportive.

   b) Il est (déjà) plus grand que leur père.
   c) Elle aime jouer au football. *[1 mark]*
      Elle joue au football tous les samedis. *[1 mark]*

4 Je m'appelle Grace et j'ai quinze ans. J'habite dans une petite ville dans le nord de l'Angleterre, mais je suis née à Southampton. Je suis petite et assez mince et j'avais les cheveux longs. De nos jours, j'ai les cheveux courts. Je suis bavarde et j'ai toujours un bon sens de l'humour.

Page 8: My Family

1 a) C   b) D   c) A

2 Ma famille est assez grande parce que mes parents sont divorcés. J'habite avec ma mère et mon beau-père, mais je vois mon père et sa petite amie le week-end. Quelquefois, c'est assez compliqué, surtout à Noël. L'année dernière j'ai passé les vacances de Noël avec ma mère. Je ne sais pas où je serai cette année.

Pages 9-10: Describing People

1 a) D   d) E
   b) B   e) C
   c) A

2 a) true   c) true
   b) false   d) true

3 a) A   b) C   c) B

4 J'ai deux sœurs et un frère. Mon frère est petit, mais il est très intelligent. Il est assez sportif, comme moi. Mes sœurs sont vraiment bêtes et égoïstes. Elles se disputent tout le temps. Ça m'énerve.

Page 11: Personalities

1 a) Sylvie   b) Louis   c) Étienne

2 a) C   c) D
   b) F   d) A

Page 12: Relationships

1 J'ai rencontré mes deux meilleures amies au club des jeunes. Edith est très amusante / drôle et bavarde, comme moi. Delphine est timide mais gentille et généreuse. Elles sont très différentes mais elles sont très sympathiques et nous passons beaucoup de temps ensemble. Nous nous entendons bien. Quelquefois il est difficile de se faire des amis.

2 a) He does not get on with his family.
   b) when he wants to go out with his friends
   c) His father works in Paris during the week.

Page 13: Partnership

1 a) vivre seul
   b) célibataire
   c) (penser à) se marier et (à) avoir des enfants

2 I have been going out with my boyfriend for ten years. He is my ideal partner because we have the same interests. However we will not get married because it is too expensive. Personally, I find that marriage is old-fashioned. We can live together without being married and we are going to buy a house.

Answers

Section 3 — Free-Time Activities

Pages 14-15: Music

1 I love music. I like all types / genres of music. I listen to music all the time, normally on my mobile (phone). Yesterday, I was listening to music while walking to school when I started to sing with the music. My friends were looking at me but I didn't know why!

2 **a)** B **b)** C **c)** C

3 Ma famille adore la musique. Le genre de musique préféré de mon frère c'est le rap. Je trouve ce type / genre de musique un peu barbant / ennuyeux. Il écoute de la musique trop fort et ça m'énerve. Je préfère la musique rock. Je suis allé(e) au concert de mon groupe préféré la semaine dernière et c'était génial.

4 I download music with my mobile (phone). I love pop music because for me, music must make me want to dance. I like the singer 'Christine' a lot. She has a great voice and her songs are simple and easy to understand. I listen to her music when I feel / I'm feeling sad.

Page 16: Cinema

1 J'adore aller au cinéma et je préfère regarder des films sur un grand écran. Hier soir, je suis allé(e) au cinéma avec mes ami(e)s. Le film était assez amusant / drôle mais je préfère les films policiers. Cette année, j'aimerais / je voudrais louer un cinéma pour mon anniversaire. Je pense que ce serait formidable.

2 **a)** It allows people to watch films.
   b) 38 seconds
   c) Two from: It took place on 28th December 1895. / It took place in the basement of the Grand Café in Paris. / It lasted around 20 minutes. / Ten films were shown.

Page 17: TV

1 **a)** A **b)** B **c)** A+B

2 Je ne regarde pas beaucoup de télévision, mais je la regarde quand mon père n'est pas chez nous / à la maison. J'aime regarder un peu de tout. Normalement je regarde les feuilletons parce qu'ils sont amusants / drôles. J'adore aussi les jeux télévisés, mais je déteste la télé réalité parce que c'est faux / ce n'est pas la vérité.

Page 18: Food

1 **a)** A and C **b)** B and D

2 **a)** un plat d'escargots avec du beurre à l'ail
   b) des pommes de terre, des haricots verts et des carottes
   c) du gâteau, de la glace et de la meringue.

Page 19: Eating Out

1 One of my favourite hobbies / pastimes when I am on holiday is eating in the local restaurants and trying the cuisine of the country / the national cuisine. Last year, I went to Berlin and I tasted some German specialities, like sausages. Next year I will go to Japan. I believe that the restaurants over there will be really different.

2 **a)** meat / burgers
   b) beef
   c) She is allergic to egg. *[1 mark]* She has to wash her hair. *[1 mark]*

Pages 20-21: Sport

1 Mon sport préféré c'est le basket. Je joue au basket depuis trois ans. Je m'entraîne deux fois par semaine après le collège et quelquefois il y a un tournoi le week-end. La semaine dernière mon équipe a gagné. Je joue aussi au tennis le samedi. À l'avenir, je voudrais / j'aimerais apprendre à faire du ski.

2 I am very proud of my sister because she is very gifted / talented at sport. Unfortunately, I am not sporty. When I was younger, I tried to do lots of sports but I had no talent. To stay fit, I run three times a week but it is difficult and boring.

3 **a)** Le Tour a été annulé. / Le Tour n'a pas eu lieu.
   b) (en) Angleterre
   c) Two from: Le format reste toujours le même. / Il y a un passage à travers les montagnes (des Pyrénées et des Alpes). / La course finit sur les Champs-Élysées à Paris.

4 **a)** horse riding, judo, swimming
   b) the opening ceremony
   c) 11
   d) It's a (French) national passion.

Section 4 — Technology in Everyday Life

Pages 22-23: Technology

1 Tous mes amis / Toutes mes amies passent du temps en ligne. Cette année, j'ai reçu un ordinateur portable pour mon anniversaire. C'est utile parce que j'ai beaucoup de devoirs. Cependant, j'aime aussi surfer sur Internet. J'aimerais / je voudrais acheter un nouveau portable avec (un) écran tactile mais c'est / ça coûte trop cher.

2 **a)** M **c)** L
   b) A **d)** A

3 **a)** send messages.
   b) learn Spanish.
   c) spend too much time in front of a screen.

4 Je trouve la technologie très utile. Cependant, il me semble que beaucoup de gens sont accros à leur(s) tablette(s). Aussi / En plus, mes ami(e)s passent trop de temps sur leur(s) portable(s). Ils / Elles envoient des messages tout le temps. C'est vraiment embêtant / pénible. Nous jouions au foot ensemble mais maintenant ils / elles préfèrent surfer sur Internet.

Page 24: Social Media

1 I am addicted to social networks. I want to know what my friends are doing, and I think that it's a good way to communicate and to meet others. Last year, for example, I got to know a boy in Canada and we talk online every week.

2 **a)** C and D **b)** B and D **c)** B and C

Page 25: The Problems with Social Media

1) Mes parents ne veulent pas que j'utilise les réseaux sociaux. Ils pensent que ça peut être très dangereux mais je ne suis pas d'accord. Je ne mets pas mes photos en ligne et je ne partage jamais mes vidéos. Nous discutons des problèmes comme le harcèlement au collège. Cependant, je pense que les professeurs devraient nous donner plus d'informations.

2) I have to use social networks for my work. I find them practical / convenient for organising my life. However, I believe that it is important to be responsible because others can see what you upload. I write a fashion blog but I would never share personal details / information.

Answers

Section 5 — Customs and Festivals

Pages 26-28: Customs and Festivals

1 a) Two from: Bastille Day / Easter / Christmas
b) to help people learn more about the country's past
c) Two from: There is music outdoors. / The atmosphere is superb. / Musicians from around the world are invited. / It is very international.

2 A, E

3 F, D, C, A

4 Le 14 juillet est la Fête nationale en France. Beaucoup de touristes vont à Paris pour voir les défilés. Cette année, je suis allé(e) à un parc près de la tour Eiffel pour regarder les feux d'artifice. C'était une expérience formidable / chouette / géniale. Mes ami(e)s aimeraient visiter Paris l'année prochaine, donc nous célébrerons ensemble.

5 a) A   c) B
  b) C   d) C

6 Le Jour de l'An est (un jour) férié en France. D'habitude, les gens déjeunent avec leur famille. L'année dernière, ma grand-mère a cuisiné un repas délicieux. Je pense qu'il est important de respecter les traditions. Cependant, j'aimerais / je voudrais aller en vacances au Nouvel An pour voir les fêtes / les célébrations dans un autre pays.

Section 6 — Where You Live

Page 29: The Home

1 I live with my parents, my brother and my sister. When I was younger, we lived in a flat in the town centre. Now we live in a big house which is near the park. I like my house because there is lots of space for all the family. However, the house is very old.

2 a) A   b) A   c) C

Pages 30-31: What You Do at Home

1 Je me lève à sept heures. Je me douche et puis je m'habille. Je prends mon petit-déjeuner et je regarde la télévision. Je quitte la maison à huit heures et demie et je vais au collège à pied. Quand il pleut, mon père me conduit au collège. Le collège commence à neuf heures et il ne faut pas / on ne doit pas être en retard.

2 Yesterday, I had an awful day. Usually, I get up at six o'clock, but yesterday, I slept until half past seven. I missed the bus to (go to) work so I had to walk there. I was late and the boss was not happy. I hope that the rest of the week will be easier.

3 a) Likes: cooking (for his family)   Dislikes: washing the car
  b) Likes: doing the laundry   Dislikes: washing up

4 a) B   b) C

Pages 32-33: Talking About Where You Live

1 a) One from: The traffic was frightening. / There was a traffic jam on every street. / The air pollution was unbearable. / The noise was unbearable.
b) the most beautiful city in the world
c) show him the wonders of Paris

2 a) C   b) D

3 J'habite à La Rochelle depuis cinq ans. La Rochelle se trouve / est dans le sud-ouest de la France. C'est une ville très animée et il y a toujours quelque chose à faire. On peut aller à la plage ou faire du surf. J'aimerais / je voudrais rester ici parce que j'aime habiter / vivre près de la mer.

4 a) C'est la capitale de la Belgique. [1 mark] La plupart des institutions de l'Union européenne y sont situées. [1 mark]
b) un grand nombre de bâtiments anciens et intéressants
c) quelquefois ils l'énervent

Pages 34-35: Shopping

1 a) C   b) B   c) B

2 C'est l'anniversaire de ma petite amie cette semaine, donc je dois acheter un cadeau. Hier je suis allé(e) au grand magasin. J'ai trouvé une jolie robe mais le magasin n'avait pas sa taille. J'ai vu un chapeau aussi, mais c'était trop cher. J'achèterai des fleurs pour ma petite amie, mais je pense que c'est barbant.

3 My parents give me 40 euros a month. I save up to buy the clothes that I see in magazines. This season, all the models are wearing waistcoats. I already have a lot of clothes that I bought recently but they are not fashionable any more.

4 a) a strawberry cake [1 mark] a bottle of red wine [1 mark]
b) She had forgotten her purse.
c) go window shopping

Page 36: More Shopping

1 Mes ami(e)s vont rester chez moi, donc je suis allé(e) au supermarché ce matin. J'ai acheté un demi-kilo de bœuf, des haricots verts et de la glace. D'habitude je préfère faire les courses en ligne parce que c'est plus facile. Cependant, quelquefois j'aime aller en ville.

2 Next week I am going to go on holiday, so tomorrow I will go into the town centre to buy some new clothes. I would like two dresses in pale pink and dark blue, a pair of shorts, two pairs of sandals and a coat / jacket. I hope that the weather will be good, so I need a swimming costume, a sun hat and some sun cream.

Page 37: Giving and Asking for Directions

1 a) You turn right and cross the street.
b) You take the street next to it and go straight ahead.
c) at the end of the street (opposite the Hôtel Magnifique)

2 a) derrière la banque [1 mark] au bout de la rue Cardinale [1 mark]
b) à deux kilomètres
c) à Nantes [1 mark] à 30 kilomètres [1 mark]

Page 38: Weather

1 Aujourd'hui il y a du soleil et il fait très chaud dans le sud de la France. Dans le nord de la France, c'est nuageux. Demain il y aura du vent dans le sud mais le temps sera beau / il fera beau. Cependant, dans le nord, il pleuvra et il fera assez froid, mais il y aura des éclaircies (dans) l'après-midi.

2 a) Problem: couldn't visit them
   Reason: the rain / they didn't want to get soaked
b) Problem: scared to leave the hotel
   Reason: storms with thunder and lightening

Answers

Section 7 — Lifestyle

Page 39: Healthy Living

1 a) C   b) D   c) A

2 J'aimerais / je voudrais être en bonne forme, donc j'essaie / j'essaye de bien manger. Je pense qu'il est important d'être sain(e) quand on est jeune. Je mangeais beaucoup de glace, mais maintenant je préfère manger des repas équilibrés. Je fais aussi de l'exercice trois fois par semaine. Je vais au collège à pied au lieu de prendre l'autobus / le car de ramassage.

Page 40: Unhealthy Living

1 There are lots of people who would like to be skinny / thin like the celebrities you see on television. It is often a problem among young people. Last year, my best friend wanted to be thinner and she went on a diet. She was tired all the time. It was really sad.

2 a) disgusting ... she finds the smell really unpleasant
   b) relax ... smoke less often
   c) she gave up (a year ago) ... it is really antisocial

Page 41: Illnesses

1 Je ne me sens pas bien aujourd'hui. J'ai mal à la tête et à la gorge. J'ai vu le médecin parce que je toussais beaucoup. Le médecin ne m'a pas donné de médicaments mais m'a dit de rentrer à la maison et me coucher. J'espère que je me sentirai mieux demain.

2 Tomorrow there will be an important match for my football team. However, I am worried because the players have had a lot of health problems. Chloé has broken her arm and will not be able to play tomorrow. Michelle has ear ache and her mother won't let her leave the house. In addition, two other girls are ill.

Section 8 — Social and Global Issues

Pages 42-43: Environmental Problems

1 a) B   b) A   c) B

2 a) Natural resources aren't infinite / are limited.
   b) recycle their rubbish [1 mark] buy products with recyclable packaging [1 mark]
   c) Two from: cardboard boxes, plastic bottles, glass bottles, plastic bags

3 Les déchets / les ordures sont un problème grave dans mon quartier / ma région. Les gens jettent beaucoup de choses qui polluent la Terre. L'année dernière, mon village a jeté cent tonnes de déchets / d'ordures. À mon avis, nous utilisons trop de sacs en plastique. Je voudrais produire moins de déchets / d'ordures et je vais acheter des produits verts.

4 B and D

Pages 44-45: Problems in Society

1 a) est noir
   b) n'a pas d'importance / n'est pas importante
   c) son foulard / des vêtements traditionnels

2 Le chômage est un grand problème dans ma ville. L'usine a fermé l'année dernière, et plus de quatre cents personnes ont perdu leur travail / emploi / boulot. Il n'y avait pas beaucoup d'autres opportunités dans le quartier donc c'était très difficile pour certaines familles. J'espère que je pourrai trouver du travail dans le futur / à l'avenir.

3 I live in a city where there is a lot of violence, and I'm really

scared of the gangs in my area. In the evening, there are places which I avoid, especially as I was once attacked on my way home. It was frightening. We need to do something but I don't know what.

4 a) C and D   b) B and E

Pages 46-47: Contributing to Society

1 Je pense qu'il est très important de protéger l'environnement. Il y a beaucoup qu'on pourrait faire à la maison. Par exemple, en hiver j'éteins toujours le chauffage central pendant la journée. Hier, j'ai pris une douche au lieu d'un bain parce que ça utilise moins d'eau.

2 We should all respect the environment. Car and aeroplane emissions have already played a big part in air pollution, so we should try to find means of transport which damage the environment less. For example, you could take the train instead of an aeroplane to go on holiday.

3 a) dans un refuge pour les sans-abri
   b) Il offre un refuge d'urgence de 24 heures. [1 mark]
      Il y a des services de soutien. [1 mark]
   c) Il nettoie la salle à manger. [1 mark]
      Il aide dans la cuisine. [1 mark]

4 a) B   b) A   c) A

Section 9 — Travel and Tourism

Page 48: Where to Go

1 J'adore aller en vacances avec ma famille et l'année dernière, nous avons passé deux semaines en Espagne. Je préfère les vacances au bord de la mer parce que j'aime nager. Cependant mes parents préfèrent visiter des villes différentes, donc l'été prochain nous irons à Rome. Je ne suis jamais allé(e) en Italie donc ce sera très intéressant.

2 a) It is too expensive to go alone or with friends.
   b) a holiday camp / in another European country
   c) You will learn another language. [1 mark] You will earn a bit of money. [1 mark]

Page 49: Accommodation

1 a) C and D   b) C and D   c) A and C

2 L'année dernière, ma famille a logé / est restée dans un petit hôtel en Angleterre. Quel désastre ! Notre chambre était très petite. La salle de bains était vraiment sale, c'était dégoûtant. La nourriture au restaurant était affreuse et le serveur était impoli. L'année prochaine, nous irons en Chine et visiterons un parc d'attractions.

Page 50: Getting Ready to Go

1 The newest hotel in Paris has just opened its doors. The hotel is (situated) in the city centre near the Eiffel Tower. It's easy to get there, thanks to the good public transport network in Paris. At the hotel, there is a big restaurant with a good choice of French specialities. To reserve a room in this magnificent hotel, visit its website.

2 a) 1
   b) more information about the different types of room (available)
   c) your name [1 mark] your telephone number [1 mark] the dates of your stay [1 mark]

Answers

Page 51: How to Get There

1 L'été dernier, je suis allé(e) en France avec mon ami(e). Nous avons voyagé en voiture et en bateau. La traversée a duré une heure mais malheureusement mon ami(e) s'est senti(e) malade. Le voyage en voiture était long mais intéressant. D'habitude je préfère prendre l'avion parce que c'est plus rapide. L'année prochaine, nous visiterons l'Allemagne en train.

2 French public transport is excellent. In cities there is the underground which is inexpensive / not expensive. For travelling around the country, there is the TGV / high-speed train which is very quick and a very well-developed motorway system.

Page 52: What to Do

1 a) Lyon   c) Bordeaux
   b) La Rochelle   d) Cannes

2 a) B and C   b) A and B

Page 53: Talking About Holidays

1 Pour moi, les vacances sont très importantes. J'aime me détendre et passer du temps avec ma famille. Nous allons toujours à l'étranger et essayons des activités différentes. L'année dernière nous avons passé deux semaines aux États-Unis et l'année prochaine nous irons en France. Nous allons faire du camping — ce sera formidable / chouette / génial.

2 E, A, F, B

Section 10 — Current and Future Study and Employment

Page 54: School Subjects

1 a) A   b) C   c) A

2 a) Elle aura un nouveau professeur cette année.
   b) Elle adore partager ses opinions. / Elle adore discuter avec ses camarades de classe.
   c) Elle sera sans ses copines dans la classe.

Page 55: School Routine

1 I find that the school day is too long. We start at eight thirty and we have two hours of lessons before break. Lunch lasts an hour. After that, there are lessons until five o'clock. Next year will be even more difficult because the lessons will finish at half past five.

2 a) sing ... musical instruments
   b) in the afternoon ... do sport
   c) science ... in the morning

Page 56: School Life

1 Je vais au grand collège dans ma ville. Je suis en seconde. Le collège est assez vieux mais il est très bien équipé. Il y a un terrain de sport et l'année prochaine, il y aura une nouvelle piscine. Je n'aimerais pas / je ne voudrais pas aller à l'école privée dans ma ville parce qu'ils ne font qu'une heure de sport par semaine / ils font seulement une heure de sport par semaine.

2 I am going to go to the sixth form college near my home. The building is very modern and the classrooms are big. Also, / In addition, I will be able to sing in the choir and play in the orchestra. Unfortunately, my best friend will not go to sixth form college with me, because she wants to go to technical college.

Page 57: School Pressures

1 J'en ai marre du collège parce qu'il y a beaucoup de press on. Les cours sont barbants / ennuyeux et je ne les aime pas. Hier, mon / ma professeur s'est mis(e) en colère / s'est fâché(e) et j'ai eu une retenue pendant la pause de midi. Aussi / En plus, nous devons porter un uniforme scolaire mais je préférerais choisir mes vêtements moi-même.

2 a) Problem: pressure / students are scared of failing their exams
      Solution: teachers should be more understanding
   b) Problem: students taking drugs and smoking
      Solution: teachers should encourage students to think for themselves

Page 58: Education Post-16

1 L'année prochaine, je vais quitter le collège. Il est difficile de trouver du travail donc je préférerais apprendre et gagner de l'argent en même temps. Mes ami(e)s ne sont pas d'accord et ils / elles resteront au lycée pour passer les examens. Ils iront à l'université et puis ils commenceront à travailler.

2 a) M   b) L   c) A

Pages 59-60: Career Choices and Ambitions

1 a) C and D   2) A and D

2 Dans le futur, / À l'avenir, j'aimerais / je voudrais être / devenir comptable. Ce serait un boulot / emploi / poste / métier très enrichissant parce que les maths sont ma matière préférée. Je veux travailler dans une grande entreprise. Mon ami préfère le dessin et il aimerait / voudrait être / devenir dessinateur de mode. J'espère qu'il y aura des débouchés / opportunités dans ma ville.

3 a) A   b) B

4 I have just sat / taken my exams and I don't know what I'm going to do in the future. My father is a lawyer, but that doesn't interest me. I wouldn't like to be sat down all the time because I'm very active. My mother was a teacher but I wouldn't like to work in a school.

Section 11 — Literary Texts

Page 61-62: Literary Texts

1 a) He is tall / strong for his age.
   b) their (mourning) clothes / they look sad
   c) No one saw us leave.

2 a) A & C
   b) so they don't have to eat the meals at the hostels

3 G, E, A, B

4 a) A   b) C   c) B

Answers

Section 12 — Grammar

Page 63: Nouns

1
a) carottes
b) professeur, voiture
c) français, Canada
d) cadeau, Marcel
e) cochons
f) sac, mère
g) Manon, pommes
h) poste
i) film
j) Samantha, frère

2
a) m
b) m
c) m
d) f
e) f
f) f
g) m
h) m
i) m
j) m
k) f
l) f
m) m
n) m
o) m
p) m

3
a) nez
b) chevaux
c) fils
d) feux
e) noix
f) enfants
g) journaux
h) hommes
i) châteaux
j) petits pois
k) bijoux
l) travaux
m) bureaux
n) légumes
o) chapeaux

4
a) choux
b) jeux
c) animaux
d) enfants
e) chiens

Page 64: Articles

1
a) Les
b) le
c) la
d) les, la
e) L'

2
a) un, une, une
b) une, un
c) une, un

3
a) Je vais à la plage.
b) Il vient d'Italie.
c) Elle va aux magasins.

4
a) des
b) de
c) de l'
d) de la
e) de
f) de
g) du
h) des

5
a) Je vais au Pays de Galles cette année.
b) Il vient du Maroc.

Pages 65-67: Adjectives

1
a) facile
b) amusants, gentils
c) vieux
d) belle
e) triste
f) grande
g) bonne
h) long, ennuyeux

2
a) Alexandre a les yeux **bleus**.
b) J'habite dans une maison **moderne**.
c) La **première** question est très **difficile**.
d) Susanna porte un chapeau **rouge** et des chaussures **orange**.
e) Mes frères sont assez **sportifs**.
f) Le cochon d'Inde est **heureux** et **mignon**.

3
a) blanche
b) étrangers
c) dernières
d) chère
e) sèches

4
a) la montagne verte
b) le manteau vert
c) les yeux verts
d) les pommes vertes
e) l'homme vert
f) l'herbe verte

5
a) longues
b) nouvelle
c) toute
d) rigolo

6
a) Mes parents sont fous.
b) La campagne est belle.
c) Les femmes sont vieilles.

7
a) J'ai une chemise **bleue**.
b) Nous sommes au **premier** étage.
c) Loïc habite dans un **petit** appartement.
d) Il chante des chansons **étrangères**.
e) C'est une **bonne** peinture.

8
a) J'ai une grande voiture.
b) C'est un petit chat noir.
c) C'est la meilleure émission.
d) Elles ont un vieux chien.
e) Il a un travail intéressant.

9

	My	Your (inf., sing.)	His / her / its	Our	Your (formal, pl.)	Their
Masculine singular	mon	ton	son	notre	votre	leur
Feminine singular	ma	ta	sa	notre	votre	leur
Plural	mes	tes	ses	nos	vos	leurs

10
a) Mon
b) ton
c) Sa
d) votre
e) leurs
f) son

11
a) Je joue au rugby **chaque** week-end.
b) Eric a acheté **quelques** légumes.
c) **Chaque** élève doit faire ses devoirs.
d) Il a trouvé **quelques** livres intéressants.

12
a) Je pense que **ce** travail est un peu ennuyeux
b) **Cet** hôpital est merveilleux.
c) Je ne me souviens pas de **ce** film.
d) **Ces** animaux sont malheureux.
e) Les hommes vont aux États-Unis **cette** année.

Pages 68-69: Adverbs

1
a) totalement — totally / completely
b) vraiment — truly / really
c) fréquemment — frequently
d) doucement — softly / quietly
e) simplement — simply

2
a) vite
b) énormément
c) Récemment
d) Normalement
e) vraiment

3
a) facilement
b) évidemment
c) clairement
d) calmement
g) stupidement
h) incroyablement
i) heureusement
j) complètement

e) précisément   **k)** deuxièmement
f) gentiment   **l)** honnêtement

4 a) Il nage bien.
   b) Eleanor chante mal.

5 a) Hier
   b) souvent
   c) Normalement
   d) demain
   e) déjà

6 a) in general / generally
   b) absolutely
   c) late
   c) in any case
   e) from time to time
   f) next year
   g) last week
   h) at the same time

7 a) Je l'ai vu **là-bas**.
   b) Elle a perdu son portable **quelque part**.
   c) Mon père a ses papiers **partout**.
   d) L'aéroport est assez **loin** de la ville.
   e) Venez **ici**, s'il vous plaît.

8 a) André lit le journal chaque jour / tous les jours.
   b) Quelquefois, on peut entendre la mer.
   c) Ma sœur voyage partout.

Pages 70-71: Comparatives and Superlatives

1 a) plus gentil que Sofia.
   b) plus intéressants que le roman.
   c) plus forte que Marie.

2

	Least	Middle	Most
intelligent	Arnaud	David	Julia
funny	Arnaud	David	Julia
tall	Julia	Arnaud	David
sporty	David	Arnaud	Julia
kind	Arnaud	Julia	David

3 a) Cette fête est la plus passionnante.
   b) Je suis étrange / bizarre, mais il est le plus étrange / bizarre.
   c) Ces arbres sont les plus verts.

4 a) les meilleures
   b) pire que
   c) les pires
   d) meilleure que

5

Adverb	Comparative	Superlative
bien	mieux	le mieux
mal	pire	le pire
beaucoup	plus	le plus
peu	moins	le moins

6 a) aussi...que — as...as
   b) moins...que — less...than
   c) autant que — as much as

7 a) Ayesha nage le **pire** dans la mer.
   b) Matthieu cuisine **plus** à la maison que Charles.
   c) Lucie écrit le **moins** au collège.

8 a) Zanna écrit autant qu'Étienne.
   b) Le chien noir est le plus âgé / vieux.
   c) Les gâteaux au chocolat sont les meilleurs.
   d) Je joue au tennis mieux que ma sœur.

Page 72: Quantifiers and Intensifiers

1 a) peu   **c)** trop
   b) assez   **d)** très

2 a) La mer était incroyablement froide.
   b) Mon cochon est exceptionnellement rose.
   c) Le chat de Farouk est énormément gros.

3 a) a little bit / a little bit of / a little
   b) enough
   c) too much / too many
   d) little / not much / not many
   e) lots of / many / a lot of

4 a) Elles ont **assez de** poissons.
   b) Elle a **trop d'**argent.
   c) Mon ami a **beaucoup de** serpents.
   d) Le magicien a eu **peu de** succès.

Pages 73-74: Pronouns

1 a) Elle   **c)** Elles
   b) Il   **d)** Ils

2 a) Nous **leur** avons offert un jambon.
   b) Je **lui** ai donné mon numéro.
   c) Il **m'**a apporté ton cahier.
   d) Je **t'**ai déjà parlé.
   e) Nous **vous** avons tout expliqué.
   f) Elle **nous** a acheté un cadeau.

3 a) Nous pouvons le leur donner.
   b) Mon père t'y attend.
   c) Je la lui avais offerte.
   d) Vous lui en achetez.
   e) Elle les y rencontre.

4 a) On y va s'il fait beau.
   b) Elle **y** va tout à l'heure.
   c) Est-ce que tu peux m'**en** acheter.
   d) Je n'y vais pas à cause des monstres.
   e) Les vacances, parlons-**en**.
   f) Je n'**en** ai plus.
   g) Tu **y** es déjà allée?
   h) On ne s'**en** sortira jamais !

5 a) quelque chose   **d)** chacun(e)
   b) tout   **e)** tout le monde
   c) quelqu'un   **f)** plusieurs

6 a) moi   **c)** nous
   b) elle   **d)** lui

7 a) I think that there is / are some in the kitchen.
   b) Everyone goes there when the weather is nice.
   c) He wanted to sell each one of his books, but there are several left.
   d) Have you decided to go there this year?

Answers

Page 75: Relative and Interrogative Pronouns

1 a) qui   **d)** qu'
     b) que   **e)** qu'
     c) qui   **f)** qui

2 a) De quoi parle Charlie?
     b) Qui a mangé les pommes?
     c) Que fais-tu le week-end?
     d) Qui peut / pourrait m'aider à faire cet exercice?

3 a) I saw the horrible children we talked about.
     b) The illness from which she suffers gives her a green nose.
     c) The farmer has a hen whose eggs are perfect.
     d) He had three cakes, two of which were filled with fruit.

Page 76: Possessive and Demonstrative Pronouns

1 a) incorrect, la nôtre should be **le nôtre**.
     b) incorrect, les miens should be **le mien**.
     c) correct
     d) incorrect, la vôtre should be **le vôtre**.
     e) correct

2 a) That doesn't interest me much.
     b) That makes me cry.
     c) We are going to organise ourselves like this.

3 a) celui-ci   **d)** Celles-ci
     b) Ceux-ci   **e)** Ceux-ci
     c) celle-là

Page 77: Conjunctions

1 a) and   **i)** then
     b) if   **j)** or else
     c) but   **k)** like, as
     d) after   **l)** while
     e) since   **m)** because
     f) because   **n)** neither...nor
     g) or   **o)** when / as soon as
     h) when

2 a) mais   **e)** si
     b) pendant qu'   **f)** quand
     c) parce que   **g)** parce qu'
     d) comme   **h)** puis

3 a) Je voudrais une pomme **et** une poire.
     b) C'est mon anniversaire **mais** je ne sors pas.
     c) **Si** tu manges le champignon, je te tuerai.
     d) Je me douche, **puis** je m'habille.
     e) **Comme** j'étais en retard, j'ai manqué le bus.

Pages 78-79: Prepositions

1 a) de la   **f)** au
     b) aux   **g)** du
     c) à la   **h)** de la
     d) du   **i)** à la
     e) à, à   **j)** de

2 a) à   **f)** aux
     b) en   **g)** dans
     c) en   **h)** aux
     d) dans   **i)** Dans
     e) à   **j)** en

3 a) I will be abroad for a month.
     b) I have been learning French for four years.
     c) I have travelled around France for six weeks.

4 a) sous   **e)** chez
     b) sur   **f)** vers
     c) sans   **g)** avec
     d) après   **h)** avant

5 a) L'école est en face de la piscine.
     b) Je suis resté(e) à la maison / chez moi à cause de la pluie.
     c) Il y a un supermarché à côté du parc.
     d) Aix-en-Provence est / se trouve près de Marseille.

Pages 80-82: Present Tense

1 a) vais   **f)** ai
     b) aime   **g)** faites
     c) est   **h)** mange
     d) vois   **i)** détestons
     e) préfère   **j)** a

2 a) mange   **g)** punissent
     b) donnons   **h)** agis
     c) achetez   **i)** bat
     d) finis   **j)** attendez
     e) choisissent   **k)** mord
     f) partagez   **l)** vends

3 a) e, e   **c)** e, ent
     b) ons, es   **d)** ez, e

4 a) Nous mangeons du poulet.
     b) Nous jouons au foot.
     c) Ils nagent tous les jours.
     d) Ils se cachent dans les arbres.
     e) Je vole le cahier de Robert.
     f) L'école finit à 16 heures.

5 a) suis   **d)** sommes
     b) es   **e)** êtes
     c) est   **f)** sont

6 a) (j') ai   **d)** avons
     b) as   **e)** avez
     c) a   **f)** ont

7 a) fais   **f)** fait
     b) vas   **g)** allons
     c) veut   **h)** voulez
     d) devons   **i)** doivent
     e) faites   **j)** vais

8 a) boit   **f)** ouvrez
     b) disent   **g)** Veux
     c) lis   **h)** doit
     d) Savez   **i)** pouvons
     e) prennent

9 a) J'apprends à jouer de la guitare.
     b) Il commence à pleuvoir.
     c) J'arrive toujours à faire mes devoirs.

10 a) Vas-tu en ville ce matin?
     b) Aime-t-il le chocolat?
     c) Savez-vous parler chinois?
     d) A-t-elle un petit ami?
     e) Devons-nous partir bientôt?

11 dois, faire, veux
     dois
     est, fait
     es, aide
     ai, allez, faire

Answers

Pages 83-84: Perfect Tense

1 **a)** acheté **g)** mordu
b) dansé **h)** bavardé
c) rendu **i)** fini
d) caché **j)** joué
e) mangé **k)** vendu
f) perdu **l)** choisi

2 **a)** a **d)** ont
b) avons **e)** avez
c) as

3 **a)** J'ai acheté un nouveau vélo.
b) Le chien a mordu mon doigt. / Le chien m'a mordu le doigt.
c) As-tu perdu ton sac?
d) Nous avons joué au tennis hier.

4 **a)** as mis **c)** ont écrit
b) avons pris **d)** avez vécu

5 **a)** e **b)** es **c)** — **d)** —

6 **a)** est tombé **c)** sont restés
b) sommes entrées **d)** suis rentrée

7 **a)** Ma sœur est restée à la maison hier soir.
b) Le travail est devenu très difficile.
c) Vous êtes partie très tôt.

Pages 85-86: Imperfect Tense

1 **a)** faisions **e)** faisais
b) faisait **f)** faisait
c) faisaient **g)** faisiez
d) faisais

2 **a)** avions **e)** avaient
b) avait **f)** avais
c) aviez **g)** avait
d) avais

3 **a)** étais **e)** étiez
b) étions **f)** étais
c) étaient **g)** était
d) était

4 **a)** I was watching television.
b) She was dancing in the dining room.
c) We were waiting for the postman.
d) They were making a lot of noise.

5 **a)** I used to play the piano.
b) We used to go to the park every day.
c) We used to watch the news.
d) You used to believe in Father Christmas.
e) You used to buy the newspaper.

6 **a)** Claudine est allée dehors sans parapluie et après, elle était mouillée.
b) J'ai mangé du pain parce que j'avais faim.
c) Ils ont nagé pendant qu'il faisait chaud.

7 **a)** I had been waiting for two hours when they came to get me.
b) We had been dancing for a quarter of an hour when the teacher arrived.

Page 87: Future Tense

1 **a)** tu vas manger **d)** vous allez prendre
b) nous allons finir **e)** elles vont aller
c) ils vont commencer

2 **a)** je sauterai **d)** nous jouerons
b) elles vendront **e)** tu finiras
c) on dansera

3 **a)** mangera **e)** demanderez
b) donnerai **f)** finirai
c) dormiront **g)** écriront
d) oublieras **h)** entendra

Page 88: Reflexive Verbs and Pronouns

1 **a)** me **c)** se **e)** vous
b) te **d)** nous **f)** se

2 **a)** nous lavons **d)** se sent / se sentait
b) vous amusez **e)** se couchent
c) se trouvent

3 **a)** e **b)** s **c)** — **d)** es

4 **a)** Je vais me coucher plus tôt.
b) Vous vous sentirez mal.
c) Nous allons nous intéresser à la politique.
d) Mon fils s'appellera Marc.

Page 89: Negative Forms

1 **a)** Je ne mange pas la banane.
b) Nous ne lavons pas nos vêtements.
c) Ce n'est pas loin d'ici.
d) Il ne lit pas de livres.
e) Ce n'est pas la même chose.
f) Je n'ai pas de pommes.

2 **a)** Il n'est pas allé au supermarché.
b) Mon frère n'a pas joué.
c) Je ne suis jamais allée au collège.
d) Personne n'a mangé de gâteau.
e) Tu n'as rien fait aujourd'hui.

3 **a)** Je ne vais pas aller à école / au collège la semaine prochaine.
b) Elle ne jouera jamais au tennis.
c) Je ne vais plus manger de viande.
d) Il ne sera ni beau ni grand.

Page 90: Conditional

1 **a)** voudrais **d)** voudraient
b) voudrions **e)** voudrais
c) voudrait **f)** Voudriez

2 **a)** préférerais **e)** prendraient
b) aimerait **f)** aimeriez
c) détesterions **g)** danseraient
d) jouerais

3 **a)** J'irais au cinéma, mais je n'ai pas assez d'argent.
b) Je ferais mes devoirs si j'avais plus de temps.
c) Tu devrais arriver à onze heures.
d) Nous aimerions aider.

Answers

Page 91: Imperative

1 **a)** Finis

    b) Allons

    c) venez

    d) Mange

    e) Ayons

    f) Essaie / Essaye

    g) Sois

    h) Soyez

2 **a)** Assieds-toi!

    b) Asseyez-vous!

    c) Levons-nous!

    d) Couche-toi!

    e) Amusons-nous!

    f) Taisez-vous!

3 **a)** Ne vous asseyez pas!

    b) Ne te couche pas!

    c) Ne sors pas!

    d) N'allons pas à la piscine!

    e) Ne te lève pas!

Page 92: Pluperfect, Present Participle & Perfect Infinitive

1 **a)** vous aviez fait

    b) j'avais mangé

    c) nous étions allé(e)s

    d) elles étaient parties

    e) il avait vécu

    f) ils avaient dit

    g) tu avais manqué

    h) elle avait aimé

2 **a)** donnant

    b) achetant

    c) finissant

    d) rendant

    e) choisissant

    f) perdant

    g) faisant

    h) allant

    i) disant

3 **a)** parlant

    b) courant

    c) pleurant

    d) riant

    e) tombant

4 **a)** Après avoir fait le gâteau, je l'ai mangé.

    b) Après être parti, il est revenu.

Page 93: Passive, Impersonal Verbs & Subjunctive

1 **a)** She is knocked over

    b) I am watched

    c) Louis and Carlo were punished

    d) You have been found

    e) They will be injured

2 **a)** 5

    b) 9

    c) 1

    d) 8

    e) 2

    f) 4

    g) 3

    h) 7

    i) 6

3 **a)** You must come — everyone will be there!

    b) It seems that they have a serious illness.

    c) I want him to tell me the whole story.

    d) It is possible that we will go there this evening.

Page 94: Asking Questions

1 **a)** Quelles

    b) quelle

    c) quelle

    d) Quel

    e) Quels

    f) quel

    g) Quelles

    h) Quels

2 **a)** Quand

    b) Où

    c) Qui

    d) Comment

    e) Combien

    f) Que

    g) Pourquoi

3 **a)** Qu'est-ce que

    b) Est-ce que

    c) Est-ce qu'

    d) Est-ce que

    e) Qu'est-ce qu'

Transcripts

Section 1 — General Stuff

Track 01 — p.1

3 a **M1** : Mon week-end était génial ! Tout d'abord, j'ai fait du shopping et j'ai acheté plein de choses. J'avais besoin de nouveaux vêtements, donc j'ai acheté deux T-shirts et un jean.

3 b **M1** : J'adore regarder les films et heureusement j'ai trouvé beaucoup de DVD dans un magasin de disques — j'en ai acheté une dizaine.

3 c **M1** : Finalement, j'ai choisi trois nouvelles casquettes de base-ball. Elles sont chouettes. Tout ça m'a coûté deux cent cinquante-six euros.

3 d **M1** : J'ai passé le samedi soir avec cinq de mes copains. Nous avons regardé un film ensemble. C'était le seizième anniversaire de mon meilleur ami, donc il a reçu beaucoup de cadeaux.

3 e **M1** : Je pense qu'en tout, il a eu une vingtaine de cadeaux. Il a de la chance !

Track 02 — p.3

3 a **F2** : La saison que j'aime le plus, c'est le printemps, car on peut passer du temps dehors. J'adore faire des promenades.

3 b **F2** : En plus, mon anniversaire, c'est le premier avril.

3 c **F2** : J'aime aussi l'été. Chaque année en août je passe deux semaines à la campagne avec ma famille. Nous faisons du camping. Je n'aime pas le mois de septembre parce que c'est la rentrée au collège.

3 d **M1** : Personnellement, je préfère l'hiver car j'aime bien faire du ski. J'adore le mois de décembre parce qu'il fait toujours froid et quelquefois il neige. La saison que j'aime le moins, c'est l'été, car j'ai des examens au collège.

Track 03 — p.4

2 a **M1** : Salut Claire ! Comment ça va ?

F1 : Salut Georges ! Ça va très bien, merci. Je viens d'assister à un concert chouette de ma chanteuse préférée, Lilette Laurent. C'est une chanteuse vraiment douée, es-tu d'accord avec moi ?

2 b **M1** : Bien sûr que non. Personnellement, je trouve qu'elle n'a pas de talent. Elle est riche et stupide. J'avoue qu'elle est assez belle, mais c'est tout. En plus elle n'écrit pas ses propres chansons. Toutes les vedettes sont ainsi : leur seul objectif, c'est de gagner de l'argent.

2 c **F1** : Tu as tort ! À mon avis, elle a beaucoup de talent et en plus elle est très sympathique. Elle travaille avec les enfants défavorisés. J'ai regardé une émission à son sujet et ça m'a vraiment impressionnée.

2 d **M1** : Ce n'est pas vrai ; elle veut simplement attirer l'attention du public. Elle en a besoin, car sa musique est affreuse !

2 e **F1** : Encore une fois je ne suis pas d'accord avec toi. Tu ne comprends rien. À mon avis, sa nouvelle chanson est géniale. Sa musique rend les gens heureux et moi, je crois que ça, c'est la chose la plus importante.

2 f **M1** : D'accord. Je ne vais pas me disputer avec toi ; ça ne sert à rien. Moi, j'aime le rock. La musique pop m'énerve, surtout les chanteurs gâtés comme Lilette Laurent.

F1 : Tu es méchant, toi !

Section 2 — Me, My Family and Friends

Track 04 — p.6

2 a **F1** : Je m'appelle Célia Barteau. Mon nom s'écrit B-A-R-T-E-A-U.

2 b **F2** : Je suis Baya Clément. Clément s'écrit C-L-É-M-E-N-T.

2 c **M1** : Je m'appelle Enzo Garnier. Ça s'écrit G-A-R-N-I-E-R.

Track 05 — p.8

1 a **F1** : Je m'appelle Claudine et j'habite à Nancy avec ma famille. Ma famille n'est pas très grande. Mes parents sont divorcés et j'habite avec mon père, ma belle-mère, mon demi-frère, et notre chien, Hugo.

1 b **F2** : Je suis Jamilah. J'ai vingt ans et j'habite à Paris. L'année dernière je me suis mariée avec mon petit ami et maintenant je partage un appartement avec mon mari près de Montmartre.

1 c **M2** : Je m'appelle Quentin. J'ai seize ans et j'habite à Lyon avec ma famille. Je partage une chambre avec mon petit frère Robert qui a dix ans. J'ai aussi un frère aîné, Michel, qui a dix-huit ans et il va au lycée. Enfin, j'ai une petite sœur, Mimi, qui a onze ans.

Track 06 — p.9

2 a **F1** : Pourriez-vous décrire l'homme que vous avez vu, s'il vous plaît ?

F2 : Pas de problème : je l'ai vu très clairement. C'était un petit homme. On pourrait dire qu'il était un peu gros aussi.

M1 : Mais non ma chérie, ce n'est pas vrai. Il était très grand — on l'a remarqué même de loin.

2 b **M1** : En plus, je ne suis pas convaincu qu'il soit gros. Je crois qu'il était assez maigre.

F2 : Tu ne sais pas ce que tu as vu, mon cher. Il me semble que tu ne portais pas tes lunettes. C'était un petit homme gros.

F1 : Merci, c'est… très utile.

2 c **F1** : Est-ce que vous vous rappelez son visage ou ses cheveux ?

F2 : Je m'en souviens très bien ! Il s'agissait d'un homme laid au grand nez. En plus, il avait les cheveux noirs et longs.

2 d **M1** : Attends Patricia, tu imagines des choses. Il avait les cheveux blonds et courts. Je n'ai pas vu son visage.

Track 07 — p.11

2 a **M1** : Bonjour, je m'appelle Tristan. J'ai beaucoup de respect pour mon beau-père. Il est travailleur mais aussi bavard et aimable.

2 b **F2** : Je suis Héloïse. J'adore ma cousine. Elle est pleine de vie.

2 c **M1** : Je m'appelle Gregor. Mon grand-père m'énerve quelquefois parce qu'il est un peu impoli et égoïste. En plus il raconte des histoires ennuyeuses.

2 d **F1** : Je m'appelle Mirah. À mon avis, ma demi-sœur est vraiment drôle. Elle sait comment faire rire les gens.

Track 08 — p.13

1 a **F1** : Bonjour et bienvenue à cette édition de « L'heure des jeunes ». Aujourd'hui, nos invités vont parler du mariage. Armand, qu'en penses-tu ?

M1 : Je pense que le mariage c'est très important mais je peux très bien vivre seul — je n'ai pas l'intention de me marier tout de suite.

1 b **M1** : En fait, je préférerais rester célibataire — c'est plus facile et je pourrais faire tout ce que je voudrais.

1 c **F1** : Et toi, Zoé, qu'est-ce que tu en penses ?

F2 : À l'avenir je voudrais me marier et avoir des enfants. Je sors avec mon copain depuis trois ans mais il n'est pas prêt à y penser.

Section 3 — Free-Time Activities

Track 09 — p.14

2 a **M1** : Je suis Mark. Je joue de la guitare et je suis fana de musique rock. Dans l'avenir, j'aimerais jouer de la guitare professionnellement et, si j'ai de la chance, je ferai partie d'un groupe de rock.

2 b **F2** : Je m'appelle Kenza. J'aime la musique classique et je trouve les symphonies de Beethoven incroyables. Je ne joue pas d'instrument mais je chante dans la chorale à l'école.

2 c   **M1** : Je suis Alain. Je ne m'intéresse pas beaucoup à la musique, mais quand je sors avec mes copains, nous allons souvent en ville pour danser et j'aime toutes les chansons que nous y entendons.

Track 10 — p.16

2 a   **F1** : En 1895 les frères Lumière ont inventé le cinématographe, et grâce à cet appareil, l'art du cinéma est né. Le cinématographe était une caméra qui permettait aux gens de regarder des films.

2 b   **F1** : Leur premier film s'appelait 'La Sortie de l'usine Lumière' et ça durait seulement 38 secondes.

2 c   **F1** : Ils ont organisé la première représentation publique payante des films le 28 décembre 1895 au sous-sol du Grand Café à Paris. La séance a duré environ 20 minutes et on y a projeté dix films.

Track 11 — p.18

1 a   **M1** : De nos jours, la nourriture est un sujet controversé. Nos habitudes alimentaires ont changé de façon radicale ces dernières années. On dit que l'alimentation des gens est moins saine que dans le passé, et que les jeunes surtout ne mangent pas assez de fruits et de légumes.

1 b   **M1** : Mais qu'est-ce qui a provoqué ce développement négatif ? Il y a un grand nombre de théories différentes.

Certains croient que les restaurants fast-food en sont responsables, car il est plus facile qu'avant d'acheter une grande quantité de nourriture grasse et salée qui ne coûte pas cher. En plus, de nos jours, on peut très facilement acheter des produits sucrés. Le chocolat, les bonbons et les gâteaux peuvent tous avoir un effet négatif sur la santé, si on en mange trop souvent.

Toutefois, la plupart des experts sont de l'avis que pour vivre sainement, il faut manger un peu de tout et rester actif.

Track 12 — p.19

2 a   **F2** : Allô ?

    M1 : Salut Juliette, c'est Leo à l'appareil.

    F2 : Leo ! Quelle surprise… Ça va ?

    M1 : Ça va bien merci. Je t'appelle car je voulais te demander si tu avais envie de dîner avec moi ce soir. Il y a un nouveau restaurant en ville où on prépare des plats délicieux. La viande là-bas est superbe, surtout les steaks hachés.

2 b   **F2** : Ben… en fait, je suis végétarienne. Quel dommage !

    M1 : Tu es devenue végétarienne ?

    F2 : Oui, c'est vrai. Avant, j'aimais bien manger du bœuf mais je trouve que la viande est très mauvaise pour la planète.

    M1 : Pas de problème, je suis sûr que nous pouvons trouver un restaurant qui te plaira. Est-ce que tu aimes le fromage ?

    F2 : Ben… malheureusement je ne mange pas de fromage.

2 c   **M1** : Ben… et si nous allions manger des crêpes ?

    F2 : Je suis allergique aux œufs. Je l'ai découvert hier. Et en plus, il faut que je me lave les cheveux ce soir. Au revoir !

Track 13 — p.21

4 a   **F1** : Je suis Nelly. Moi, j'ai beaucoup aimé les Jeux Olympiques. J'ai regardé autant d'événements que je pouvais. Mes sports préférés étaient l'équitation, le judo et la natation.

4 b   **M1** : Je m'appelle Kemal. Les événements sportifs ne m'intéressaient pas beaucoup, mais j'ai regardé la cérémonie d'ouverture et c'était fantastique — il y avait des danseurs et de la musique. C'était un vrai spectacle.

4 c   **F2** : Je suis Dina. J'ai passé des semaines entières à regarder les Jeux Olympiques. La France a gagné 10 médailles d'or et 11 médailles d'argent.

4 d   **F2** : J'étais vraiment contente que les français aient gagné la médaille d'or pour le cyclisme parce que c'est vraiment une passion nationale.

Section 4 — Technology in Everyday Life

Track 14 — p.23

e.g.   **M1** : Je trouve que c'est un peu dangereux. On ne sait jamais ce qu'on va trouver.

3 a   **F1** : Moi, je trouve Internet super. J'aime le fait qu'on peut rester en contact avec tout le monde quelle que soit l'heure. J'adore communiquer avec mes amies, donc j'utilise mon smartphone pour envoyer des messages.

3 b   **F2** : Moi, j'aime assez la technologie, parce qu'on peut s'en servir pour découvrir de nouvelles choses. Il y a une application pour tout et j'apprends beaucoup. Par exemple, j'utilise une application pour apprendre l'espagnol.

3 c   **M1** : J'aime Internet, mais il me semble que les jeunes passent trop de temps devant un écran en raison des appareils comme les tablettes et les smartphones. On est toujours connecté.

Track 15 — p.24

2 a   **M1** : Tu utilises les réseaux sociaux, Cho ?

    F2 : Oui, j'aime utiliser les réseaux sociaux. Cependant, je sais que cela peut être dangereux et il faut faire attention à ce qu'on partage. Je pense qu'on échange trop de renseignements personnels en ligne. Au collège on nous donne des conseils pour nous protéger, surtout du cyber-harcèlement. Une copine a été victime du cyber-harcèlement, c'était affreux.

2 b   **F1** : Et toi, Jules ?

    M1 : Moi, j'utilise les médias sociaux pour partager des photos et des vidéos. Je pense que c'est génial de pouvoir montrer aux autres ce qu'on fait. Par exemple, si on sort le soir, on peut mettre des images en ligne, pour que tout le monde sache que tu t'amuses. En outre, on peut voir les photos que les autres ont mises en ligne, ce qui est toujours intéressant parce qu'on sait ce qu'ils font.

2 c   **M1** : Et toi, Clara : est-ce que tu aimes les réseaux sociaux ?

    F1 : J'aime partager mes photos, mais je demande toujours la permission de mes amis avant de les mettre en ligne. S'ils ne sont pas d'accord, je ne les mets pas. Il faut accepter que les photos soient visibles à tous. En plus, on ne peut jamais vraiment effacer les choses qu'on a mises en ligne. Il me semble qu'elles restent sur Internet pour toujours.

Section 5 — Customs and Festivals

Track 16 — p.26

2   **M1** : L'Aïd est la fête qui marque la fin du ramadan. Pour le célébrer, les musulmans vont prier à la mosquée ensemble au petit matin. Tout le monde met ses plus beaux vêtements.

Vers midi, on partage un repas festif avec la famille, les voisins et les amis. Ce qu'on mange dépend de la tradition du pays. Les invités font une grande fête — ils écoutent de la musique et dansent. Les gens offrent de petits cadeaux aux enfants. Selon la tradition, les enfants doivent porter de nouveaux vêtements.

Track 17 — p.28

5 a   **M1** : Bonjour Madame Romero. Comment fête-t-on la Nouvelle Année en France ?

    F1 : En général, le 31 décembre, les invités arrivent vers 20 heures et on prend l'apéritif pour fêter le réveillon de la Saint-Sylvestre.

5 b   **M1** : C'est quoi le réveillon ?

    F1 : Quand on fait le réveillon, on dîne avec les invités, mais on ne commence pas à manger avant 22 ou 23 heures. À minuit, on s'embrasse et on se souhaite la bonne année.

5 c   **F1** : Ensuite, on continue à manger, à chanter et à danser en famille et avec nos amis. On fait la fête au moins jusqu'à 4 heures du matin avant de se coucher.

5 d   **M1** : Et que font les gens le premier janvier ?

    F1 : On déjeune en famille vers 13 heures. C'est l'occasion de présenter nos meilleurs vœux à toute la famille. Les enfants reçoivent les étrennes. Les étrennes sont de petits cadeaux : des bonbons ou quelques euros pour fêter le nouvel an. Il est aussi coutume de donner des étrennes au facteur et aux pompiers.

Transcripts

Section 6 — Where You Live

Track 18 — p.29

2 a **F2** : J'habite dans un joli appartement au premier étage, qui se trouve près des magasins. C'est très pratique pour faire les courses.

2 b **F2** : Mon appartement n'est pas très grand : il y a seulement trois pièces. J'habite seule, donc c'est parfait pour moi. Je ne voudrais pas avoir un colocataire car j'ai besoin d'espace personnel.

2 c **F2** : La cuisine est ma pièce préférée parce qu'il y a un petit balcon où je prends mon café le matin.

Track 19 — p.31

e.g. **F1** : Salut ! Je m'appelle Fatima et je gagne de l'argent quand j'aide à la maison. Je promène le chien tous les jours, ce qui me fait plaisir car j'aime faire de l'exercice et être dehors. Par contre, mon père veut que je l'aide à faire du jardinage et je déteste ça.

3 a **M1** : Bonjour ! Moi, je suis Ousmane. Souvent je fais la cuisine pour ma famille. Ça ne me gêne pas car je trouve cela relaxant. Le samedi, je dois laver la voiture, ce que je trouve très pénible.

3 b **F2** : Salut ! Je m'appelle Mai. J'aide ma mère à faire le ménage. Nous ne sommes que deux chez nous, donc je fais toujours la moitié du travail. Ce que j'aime le plus, c'est faire la lessive. Par contre, je déteste faire la vaisselle.

Track 20 — p.32

2 a **F1** : J'habite à Nice. Nice est une grande ville qui se trouve dans le sud de la France, sur la côte méditerranéenne. Il y a de belles promenades à faire le long de la côte.

2 b **M1** : J'habite à Lille, une grande ville dans le nord de la France, près de la frontière entre la France et la Belgique. J'aime habiter à Lille mais ce n'est pas une ville qui est jolie ou touristique. Lille est un centre industriel très important, et la ville se développe de façon dynamique.

Track 21 — p.34

1 a **M1** : Le centre commercial est ouvert aujourd'hui de 10 heures à 18 heures. Nous rappelons à nos chers clients que les magasins restent ouverts le jeudi jusqu'à 21 heures.

1 b **F1** : Cherchez-vous le cadeau parfait pour quelqu'un de spécial ? Il y a une offre promotionnelle à la bijouterie au premier étage : si vous dépensez plus de cent euros, nous emballerons votre cadeau avec le papier de votre choix.

1 c **M1** : Vous avez faim ? Venez découvrir les restaurants au rez-de-chaussée. On vous offre dix genres de cuisine, y compris les spécialités françaises, chinoises, japonaises et italiennes.

Track 22 — p.35

4 a **M1** : Je suis Frédéric et je suis allé au supermarché. J'avais l'intention d'acheter seulement du pain et du fromage, mais en fait je viens d'acheter pas seulement le pain et le fromage, mais aussi un gâteau aux fraises et une bouteille de vin rouge.

4 b **F2** : Je m'appelle Manon et je suis allée à la parfumerie. Ma mère adore le parfum et j'avais envie d'acheter un flacon de parfum spécial à lui donner. J'ai choisi un parfum chouette, mais quand j'ai voulu payer, j'ai découvert que j'avais oublié mon porte-monnaie. Quelle idiote !

4 c **M2** : Je suis Abdoul. Moi, je préfère faire du lèche-vitrine et je n'ai pas acheté grand-chose.

Track 23 — p.37

2 a **M1** : Où est la bibliothèque, s'il vous plaît ?

    F1 : La bibliothèque ? Ce n'est pas loin, c'est derrière la banque, au bout de la rue Cardinale.

2 b **M1** : Et pour aller au cinéma s'il vous plaît ?

    F1 : Il faut prendre la deuxième rue à gauche. Allez tout droit jusqu'au carrefour et le cinéma est entre la boulangerie et le tabac.

    M1 : C'est loin d'ici ?

    F1 : C'est à deux kilomètres d'ici.

2 c **M1** : Est-ce qu'il y a un hôpital près d'ici ?

    F1 : Non monsieur, l'hôpital le plus proche est dans la ville de Nantes, à 30 kilomètres d'ici.

Section 7 — Lifestyle

Track 24 — p.39

1 a **M1** : Bien manger c'est très important. Ma mère m'a appris à cuisiner et ça m'aide à bien manger. En plus, je mange toujours au moins cinq fruits ou légumes par jour.

1 b **F1** : Pour être en bonne santé, il faut se coucher à une heure raisonnable — ni trop tôt ni trop tard. Il faut absolument bien dormir.

1 c **F2** : Mon médecin m'a recommandé la danse comme exercice. Pour rester en bonne santé, je dois danser trois fois par semaine.

Track 25 — p.40

2 a **F1** : Qu'est-ce que tu penses du tabagisme, Randa ?

    F2 : Je ne fume pas. Je pense que le tabagisme est dégoûtant. Je déteste quand les autres fument — je trouve l'odeur vraiment désagréable.

2 b **F1** : Et toi, Marcin, qu'est-ce que tu en penses ?

    M1 : Moi, je fume et j'aime fumer. Je sais que ce n'est pas sain, mais fumer m'aide à me détendre. Ma petite amie dit que je devrais essayer de fumer moins souvent.

2 c **F1** : Sophie, quel est ton avis ?

    F2 : Moi, j'étais fumeuse mais j'ai arrêté de fumer il y a un an. L'interdiction de fumer dans les lieux publics m'a fait comprendre que fumer, c'est vraiment antisocial.

Section 8 — Social and Global Issues

Track 26 — p.42

2 a **M1** : Le recyclage est très important parce que nos réserves de ressources naturelles ne sont pas infinies.

2 b **M1** : Tout le monde peut aider à améliorer la situation. Chaque personne doit assumer la responsabilité de recycler ses propres ordures. Il faut aussi essayer d'acheter des produits aux emballages recyclables.

    Puis, on doit trouver le centre de recyclage le plus proche et recycler les emballages au lieu de les jeter dans la poubelle.

2 c **M1** : On peut recycler les boîtes en carton, les bouteilles en plastique et en verre et même les sacs en plastique.

Track 27 — p.44

1 a **F1** : Henri, est-ce que tu penses que notre société est égalitaire ?

    M1 : Malheureusement, non, elle n'est pas égalitaire. Par exemple, je suis né et j'ai grandi en France, mais certains me traitent différemment parce que je suis noir. C'est raciste et ça me gêne beaucoup.

1 b **M1** : Je pense que les droits de l'homme sont importants et qu'on doit respecter tout le monde. La couleur de la peau n'a pas d'importance.

1 c **F1** : Mischa, qu'est-ce que tu en penses ?

    F2 : Je pense qu'il faut lutter contre le racisme, c'est affreux, mais on ne devrait pas oublier qu'il faut aussi mettre fin aux autres genres de discrimination. Par exemple, la discrimination religieuse reste un problème. Je suis musulmane et certains me regardent bizarrement quand je porte des vêtements traditionnels, comme mon foulard.

Track 28 — p.45

4 a **F1** : Je suis arrivée en France comme immigrée il y a deux ans. Avant, je n'avais pas de libertés civiques, surtout parce que je suis une fille et dans mon pays, les filles et les femmes n'ont pas les mêmes droits que les hommes.

    En France, je peux aller au collège, je peux vivre ma vie comme je veux, et à l'avenir je pourrai trouver un emploi. Mon pays me manque, mais je ne veux pas y retourner car je peux vivre une vie meilleure en France.

4 b **F1** : À mon avis, il faut accueillir les réfugiés qui sont forcés de quitter leur pays d'origine à cause de la guerre ou des catastrophes naturelles. C'est la responsabilité de tout le monde d'aider ces gens. Certains ont peur des réfugiés et de l'immigration, mais

Transcripts

moi, je suis très contente d'avoir l'opportunité d'être ici en France. J'aimerais contribuer à la société et aider les autres qui viendront.

Track 29 — p.47

4 a **M1** : Comme beaucoup d'entre vous le savent, la semaine dernière, les habitants de notre ville ont organisé une journée d'événements sportifs. Le but était de collecter des fonds pour les personnes atteintes du cancer du sein.

4 b **M1** : C'était l'idée de la mairesse de la ville. Sa mère est morte du cancer il y a deux ans et elle voulait faire quelque chose pour collecter de l'argent pour la recherche sur le cancer.

4 c **M1** : Il y avait beaucoup d'événements différents, y compris un tournoi de foot et une course autour de la ville. Beaucoup de participants se sont habillés en vêtements bizarres pour amuser les spectateurs.

Section 9 — Travel and Tourism

Track 30 — p.49

1 a **M1** : Où aimes-tu rester pendant les vacances, Zamzam ?

F2 : Moi, je suis fana de la nature. Chaque été je pars avec mes copains et on fait des randonnées à la montagne. Nous prenons tout ce dont nous aurons besoin — une tente, des provisions et des vêtements pratiques. Nous ne pouvons pas aller au supermarché pendant le séjour, donc il faut faire des préparations.

1 b **F2** : Et toi, Rayad ?

M1 : Ce n'est pas pour moi, le camping. Je préfère un peu de luxe. Mes vacances idéales seraient au bord de la mer dans un grand hôtel avec une piscine chauffée, un gymnase et un bon restaurant, car je suis un peu gourmand. Heureusement, ce sont mes parents qui paient.

1 c **M1** : Et toi, Nathalie ?

F1 : L'année dernière nous sommes allés dans une auberge de jeunesse en Belgique. Ce n'était pas du tout cher, c'est vrai, mais c'était affreux parce que les dortoirs étaient sales et les douches ne marchaient pas.

Track 31 — p.50

2 a **F1** : Bonjour. Bienvenue à l'Hôtel de la Paix, Cannes. Pour faire une réservation pour les mois de mai, juin, juillet ou août, tapez un. Pour une réservation pour les mois de septembre jusqu'à avril, tapez deux.

2 b **F1** : Si vous désirez plus de renseignements sur les différents types de chambre qui sont disponibles, regardez notre site internet.

2 c **F1** : Pour parler avec un membre de notre équipe, laissez votre nom ainsi que votre numéro de téléphone et les dates du séjour prévu. Merci de votre appel.

Track 32 — p.52

2 a **M1** : Cet été venez découvrir la Bretagne. C'est une région très diverse qui est dans l'ouest de la France et à deux pas de la capitale. La Bretagne, une terre de contrastes, est connue pour son patrimoine maritime ainsi que pour la nature, sa culture et sa gastronomie. En Bretagne, vous pouvez tout faire. Il y a quelque chose pour tout le monde — vous n'allez jamais vous ennuyer.

2 b **M1** : Il y a de très belles plages où vous pouvez vous détendre en famille, vous échapper de la vie quotidienne et bien sûr participer à beaucoup de sports nautiques. Ceux qui adorent la mer peuvent faire de la planche à voile sur les vagues magnifiques ainsi que d'autres sports nautiques. Grâce au vent qui souffle le long de la Manche, on voit souvent des gens avec de beaux cerfs-volants.

Section 10 — Current and Future Study and Employment

Track 33 — p.54

1 a **M1**: Salut Karine ! Est-ce que tu aimes les langues ?

F1 : Pour moi, les langues ne sont pas aussi utiles que les sciences. Je préfère la chimie mais je trouve que de nos jours, toutes les sciences sont indispensables. En plus, les langues sont plus difficiles pour moi.

1 b **F1** : Qu'en penses-tu, Nadia ?

F2 : Je ne suis pas d'accord avec toi. Moi, j'adore communiquer avec les autres, donc savoir parler une autre langue, c'est important. Pourtant, pour moi, la matière la plus importante c'est l'informatique, car il faut comprendre la technologie pour survivre dans le monde. Heureusement, j'adore passer mon temps sur l'ordinateur parce que je pense que c'est l'avenir.

1 c **F2** : Tu n'es pas d'accord, Salim ?

M1: Si, mais je crois que les jeunes comptent trop sur les ordinateurs et passent trop de temps devant l'écran. Je trouve aussi qu'il est nécessaire d'être fort en maths, en sciences, en français et en anglais. Il ne faut pas toujours utiliser un ordinateur.

Track 34 — p.55

e.g. **M1** : Lundi, on a cours toute la journée. On commence à huit heures et on finit à cinq heures. C'est dur.

2 a **M1** : Mardi, après l'école, il y a un club de musique. On y chante et on utilise des instruments de musique.

2 b **M1** : Mercredi, on est libre l'après-midi. Souvent mes copains viennent chez moi pour travailler ensemble. Beaucoup de jeunes font du sport. Jeudi, on ne commence les cours qu'à dix heures. C'est bien parce que je peux rester au lit jusqu'à neuf heures.

2 c **M1** : Vendredi, on a chimie, biologie et physique. Ce n'est pas un jour très varié. Samedi, nous avons cours seulement le matin.

Track 35 — p.57

2 a **F1** : Bonjour et bienvenue dans notre émission. Ce soir nous parlons avec des jeunes du collège Roissy. Bonjour Geeta. Est-ce que tu aimes ton collège ?

F2 : Je n'aime pas trop mon collège. Je me sens toujours sous pression. Beaucoup d'élèves comme moi ont peur de ne pas réussir aux examens. Selon moi, les profs devraient être plus compréhensifs — comme ça, nous pourrions leur demander de l'aide.

2 b **F1** : Et toi, Sascha ?

M1 : Moi, j'aime mon école mais c'est vrai qu'il y a beaucoup de problèmes. Il y a un grand nombre d'élèves qui prennent des drogues et qui fument. Beaucoup de jeunes pensent à tort qu'il faut faire ce que font les autres. Je crois que les profs devraient encourager les jeunes à penser par eux-mêmes.

Track 36 — p.59

1 a **M1** : Nous cherchons des jeunes enthousiastes et motivés pour travailler avec nous dans notre hôtel l'été prochain. Il faut avoir un bon sens de l'humour et pouvoir travailler en équipe. Ce ne sont pas les qualifications qui comptent. Par contre, c'est votre personnalité et votre dynamisme qui sont importants.

1 b **F2** : Aimez-vous les enfants ? Et le contact avec le public ? Si votre réponse est oui, ce travail est parfait pour vous. Nous cherchons des jeunes qui ont déjà passé le bac pour travailler dans notre colonie de vacances. Logement et nourriture compris. Vous auriez un jour de congé par semaine. C'est un travail qui n'est pas toujours facile mais c'est très satisfaisant.

Section 11 — Literary Texts

Track 37 — p.62

4 a **M1** : Entre le petit lac et la ville était l'église, construite en pierres calcinées avec un toit de tuiles rouges.

4 b **M1** : Pas loin de l'église, j'ai vu l'École Nationale, où, comme je l'ai appris plus tard de notre hôte, on enseignait l'hébreu, l'anglais, le français et le danois.

4 c **M1** : À ma honte, je ne connaissais pas le premier mot de ces quatre langues.

Transcripts